KU-682-528

WD

9030 00001 4084 6

রানির রান্নাঘর

শুক্লা মুখোপাধ্যায়

সাহিত্যম্ ।। কলকাতা
www.nirmalsahityam.com

RANIR RANNAGHAR
by Sukla Mukhopadhyay

Published by SAHITYAM
18B, Shyama Charan Dey Street,
Kolkata-700 073
Ph. : 2241 9238 / 4003
Fax : 2241 3338
Email : nirmalsahityam@gmail.com
Web : nirmalsahityam.com

Price ₹ 125

প্রথম প্রকাশ
কলকাতা পুস্তকমেলা
জানুয়ারি ২০১২

প্রকাশক
শ্রীনির্মলকুমার সাহা
সাহিত্যম্‌
১৮বি, শ্যামাচরণ দে স্ট্রিট
কলকাতা-৭০০ ০৭৩

প্রাপ্তিস্থান
নির্মল বুক এজেন্সি
২৪বি, কলেজ রো
কলকাতা-৭০০ ০০৯
অক্সফোর্ড বুক স্টোর্স,
ক্রসওয়ার্ড, স্টার মার্ক,
সমস্ত বইয়ের দোকান ও হুইলারে পাওয়া যাবে।

আমেরিকা : মুক্তধারা নিউইয়র্ক
www.muktadhara.com

মুদ্রক
প্রিন্টিং সেণ্টার
১, ছিদাম মুদি লেন,
কলকাতা-৭০০০০৬

অক্ষর বিন্যাস
টেকনোগ্রাফ
১/৯৮, নাকতলা, কলকাতা-৭০০ ০৪৭

দাম : ১২৫ টাকা

উৎসর্গ

শ্রীমতী গীতারানি ভাদুড়ী
(আমার মা)

প্রিয়

পাঠক / পাঠিকা

আমি তোমাদেরই অতি পরিচিতা শুক্লাদি। এই রান্নার বই আমার মনে হয় সবারই ভালো লাগবে, কারণ সবই তো আমাদের হাতের নাগালে। অথচ পকেট বুঝে অতিথি আপ্যায়ন থেকে শুরু করে ঘরের রোজকার নিয়মিত রান্না সবই এই বইয়ে পাবেন।

আমাকে লেখার জন্য আমার ছোটবোন শ্রীমতী জয়িতা চৌধুরী এবং সাহিত্যিক সুচিত্রা ভট্টাচার্য প্রচুর উৎসাহ দেন, আমি ওঁদের কাছে কৃতজ্ঞ। কৃতজ্ঞ আমার মা গীতারানি ভাদুড়ীর কাছে। আমি কতজ্ঞ **জি বাংলার রান্নাঘর** এবং পশ্চিমবঙ্গ সরকারের কাছে। যাঁরা আমায় কিচেন কুইন বানিয়েছেন। কৃতজ্ঞতা আরও জানাই সাহিত্যম্-এর কর্ণধার শ্রীপ্রদীপকুমার সাহা মহাশয়কে। সঙ্গে কৃতজ্ঞতা আমার বাংলা দেশের বান্ধবীদের। বইটির নামকরণ করেছেন ব্রততী বন্দ্যোপাধ্যায়। আশাকরি আমার সব রান্নাই আপনাদের সন্তুষ্ট করতে পারবে। আপনাদের ভালবাসা ও সহযোগিতাই আমার পাথেয়। ভাল থাকবেন। সবাইকে আমার ভালবাসা।

কিচেন কুইন

শুক্লা মুখোপাধ্যায়

সূচি

মাশরুম পনির

উপকরণ

১) বাটম মাশরুম মাঝখান থেকে কাটা ১ কাপ গরম জলে ধুয়ে নিন
২) ২৫০ গ্রাম পনির কেটে ফুটন্ত গরম জলে ভিজিয়ে রাখুন
৩) ফ্রেশ ক্রিম হাফ কাপ
৪) পেঁয়াজপাতা কুচনো হাফ কাপ
৫) টমেটো পিউরি হাফ কাপ
৬) মটরশুঁটি সেদ্ধ হাফ কাপ
৭) সাদা তেল পরিমাণমতো
৮) সামান্য শাহি গরমমশলা গুঁড়ো
৯) কাশ্মিরী লঙ্কাগুঁড়ো ১ চামচ

প্রণালী

কড়াইতে সাদা তেলে ভেজানো মাশরুম তুলে ভেজে নিন। এবার পনিরটা দিয়ে দিন। এবার টমেটো পিউরি, পেঁয়াজপাতা, শাহি গরম মশলা দিয়ে কিছুক্ষণ নাড়ুন। উপর থেকে ১ চামচ কাশ্মীরি লঙ্কার গুঁড়ো দিন। নুন ও চিনি দিয়ে কম আঁচ করে চাপা দিয়ে দিন। মটরশুঁটি দিয়ে দিন। শুকনো শুকনো হয়ে এলে উপর থেকে ফ্রেশ ক্রিম ছড়িয়ে পরিবেশন করুন।

কর্ন পনির

উপকরণ

১) পনির ৫০০ গ্রাম
২) কর্ন ২৫০ গ্রাম
৩) টমেটো কাঁচা
৪) টমেটো পিউরি
৫) কাঁচালঙ্কা
৬) ধনেপাতা
৭) সাদা তেল
৮) গরমমশলা গুঁড়ো
৯) শুকনো লঙ্কার গুঁড়ো ২ চামচ
১০) নুন ও চিনি

প্রণালী

কর্নটা এক কাপ গরম জলে ধুয়ে নিতে হবে। পনির টুকরো টুকরো করে কেটে সামান্য নুন দিয়ে গরম জলে ভিজিয়ে দিতে হবে। এবার কড়াইতে সাদা তেল দিয়ে ভালো করে মিশিয়ে সব উপকরণ দিয়ে পনির ও কর্ন দিয়ে আর কিছুক্ষণ রান্না করে নামিয়ে নিন।

পনির বিরিয়ানি

উপকরণ

১) পনির ৫০০ গ্রাম বড় বড় পিস করে কাটা
২) বাসমতি চাল ৫০০ গ্রাম
৩) দুধ ২ কাপ
৪) জাফরান বা কেশর ১ চা চামচ
৫) ডালডা ১০০ গ্রাম
৬) সাদা তেল ১৫০ গ্রাম
৭) ঘি ২ চামচ
৮) জায়ফল, জয়িত্রী, সাদা জিরে, সাদা মরিচ একসঙ্গে তাওয়ায় ভেজে গুঁড়ো করা ২ চামচ
৯) মিঠা আতর ৪ ফোঁটা
১০) গোলাপ জল হাফ কাপ
১১) কাশ্মীরি লঙ্কার গুঁড়ো ২ চামচ
১২) আদা ১ চামচ
১৩) টক দই ১০০ গ্রাম
১৪) খোয়া ক্ষীর ১ বড় চামচ
১৫) তেজপাতা পরিমাণমতো

প্রণালী

ভাতটা দুধ দিয়ে ও নুন দিয়ে ১ ফুট আগে ঝরিয়ে নামান। এবার পনিরের টুকরোগুলো ফুটন্ত জলে ৫ মিনিট ভিজিয়ে রাখুন। এবার কড়াইতে তেল, ডালডা দিয়ে দিন, পনিরগুলো দিয়ে খোয়া ক্ষীর, আদা বাটা, নুন, চিনি, কাশ্মীরি লঙ্কা দিয়ে পনিরটা রান্না করুন। এবার তেল অন্য বাটিতে তুলে নিন। তেলে জায়ফলগুঁড়ো মেশান। গোলাপ জলে ১ ফোঁটা আতর মেশান, সামান্য দুধে কেশর রাখুন। বড় কড়াইতে প্রথমে তেজপাতা দিয়ে কড়াইটা ঢেকে দিন। অল্প ঘি ছড়িয়ে দিন এবার ১ পরত ভাত দিন। তার উপর অর্ধেকটা দিয়ে দিন। তার উপর গোলাপ জল, কেশর, আতর অর্ধেকটা মিশিয়ে দিন। আবার উপরে ভাত দিয়ে পনির দিয়ে বাকি মিঠা আতর আর জাফরান দিয়ে বাকি ভাতটা চাপা দিয়ে দিন। একটা মুখবন্ধ করা ঢাকনা চাপিয়ে আটা দিয়ে মুখ বন্ধ করে আঁচ কমিয়ে দিন। ১৫ মিনিট পরে খুলে দিন।

পনির কাবাব

উপকরণ

১) পনির ২৫০ গ্রাম মিক্সিতে গ্রেট করা, আদা একটু, রসুন ৬ কোয়া, ধনেপাতা কুচি হাফ কাপ, নারকোল কোরা ২ বড় টেবিল চামচ, ছোট এলাচগুঁড়ো এক সঙ্গে বেটে নিতে হবে।

২) সাদা তেল, ঘি ১ চামচ (বড়)

৩) ছাতু ১ চামচ (বড়)

৪) নুন, চিনি, লঙ্কার গুঁড়ো পরিমাণমতো

৫) লেবুর রস

৬) চাট মশালা

প্রণালী

সব উপকরণগুলো মিক্সিতে পিষে নিয়ে সাদা তেলে অল্প নেড়ে নিন। পরিমাণমতো ছাতু মেশান। গোল গোল করে কাবাব গড়ে নিন। এবার তাওয়ায় ঘি ও সাদা তেল দিয়ে কাবাব সেঁকে নিন অথবা মাইক্রোয়েভে গ্রিল পাওয়ার-এ গিয়ে সেঁকে নিন মিনিট কয়েক। উপরে লেবুর রস ছড়িয়ে পরিবেশন করুন। চাট মশালা ছড়িয়ে দিন।

ব্রোকলি পাস্তা

উপকরণ

১) ব্রোকলি (ফুলকপির মতো দেখতে)
২) পাস্তা ২৫০ গ্রাম
৩) মাশরুম কুচনো বড় ২ চামচ
৪) বেবি কর্ন ছোট ছোট করে কাটা হাফ কাপ
৫) পেঁয়াজ ছোট ছোট করে কাটা হাফ কাপ
৬) পাস্তা সস অথবা টমেটো সস হাফ কাপ
৭) ফ্রেশ ক্রিম হাফ কাপ
৮) কাঁচালঙ্কা কুচি ১ বড় টেবিল চামচ
৯) নুন স্বাদমতো
১০) সাদা তেল / অলিভ অয়েল

প্রণালী

পাস্তাটা নুনজলে অবশ্যই সিদ্ধ করে ছেঁকে নিন এবার কড়াইতে তেল দিয়ে ফ্রেশ ক্রিম ছাড়া বাকি সব উপকরণগুলো একটু ভেজে নিন। পাস্তা দিয়ে দিন। আর কিছুক্ষণ নেড়ে ফ্রেশ ক্রিম দিয়ে নামিয়ে গরম গরম পরিবেশন করুন।

মেক্সিকান পকোড়া

উপকরণ

১) ভায়োলেট রং-এর বাঁধাকপি ১ কাপ কুচি
২) ক্যাপসিকাম হাফ কাপ কুচনো
৩) পেঁয়াজ হাফ কাপ কুচনো
৪) গাজর ঝিরিঝিরি করে করা হাফ কাপ কুচনো
৫) টমেটো কেচাপ হাফ কাপ
৬) কর্নফ্লাওয়ার হাফ কাপ
৭) নুন পরিমাণমতো
৮) ডিম ২টা
৯) চালের গুঁড়ো ২ চামচ
১০) সাদা তেল

প্রণালী

সব সবজি তেল ছাড়া এবং সাথে মেখে নিতে হবে। সাদা তেল কড়াইতে ছোট ছোট করে বলের মতো পকোড়া ভেজে তুলুন এবং গরম গরম সসের সঙ্গে পরিবেশন করুন।

ভেজ স্যান্ডউইচ

উপকরণ

১) ছানা হাফ কাপ
২) ব্রাউন ব্রেড ২টা কোনা করে কাটা
৩) পেঁয়াজ কুচনো ২ চামচ
৪) কাঁচালঙ্কা ১ চা চামচ
৫) গাজর ঝিরিঝিরি করে কাটা হাফ কাপ
৬) লেটুস পাতা টুকরো
৭) টমেটো কেচাপ ২ টেবিল চামচ
৮) গোলমরিচ হাফ চা চামচ
৯) নুন স্বাদমতো
১০) মাখন ২ চামচ

প্রণালী

পাউরুটিগুলোতে অল্প মাখন লাগিয়ে নিন। বাকি উপকরণগুলো একসাথে মিশিয়ে নিন। এবার পাউরুটির উপরে লেটুস পাতা দিন। মিশ্রণটা ৪ ভাগে ভাগ করে ১-১ ভাগ লেটুস পাতার উপরে দিন। আরেকটা ব্রেড দিয়ে চাপা দিয়ে দিন। পাউরুটির উপরে মাখন লাগিয়ে তাওয়ায় কিংবা মাইক্রোয়েভে সেঁকে নিন।

পটল মালাইকারি

উপকরণ

১) পটল
২) সাদা তেল
৩) কাজু ও কিসমিস বাটা
৪) চারমগজ বাটা
৫) জিরে ও ধনেবাটা
৬) ঘি
৭) নারকোল দুধ
৮) জায়ফল ও জয়িত্রী গুঁড়ো
৯) গোটা গরমমশলা গুঁড়ো
১০) দই
১১) কাশ্মীরি লঙ্কার গুঁড়ো
১২) হলুদ গুঁড়ো
১৩) নুন, চিনি

প্রণালী

পটল খোসা ছাড়িয়ে গায়ে কেটে নুন মাখিয়ে সাদা তেলে ভেজে তুলতে হবে। কড়াইতে তেলে কাজু, কিসমিস, পোস্ত, কাশ্মীরি লঙ্কার গুঁড়ো, চারমগজ, জিরে, অল্প ধনে বেটে, হলুদ, দই-এর সঙ্গে ফেটিয়ে নিতে হবে। এবার কড়াইতে গোটা গরমমশলা ফোড়ন দিয়ে মিশ্রণটা দিয়ে দিতে হবে। অল্প ঘি দিয়ে নেড়ে নারকোল দুধ, পটল দিয়ে চাপা দিতে হবে। জায়ফল, জায়িত্রী, গরমমশলা একসঙ্গে ছড়িয়ে গায়ে মাখা মাখা করে নামাতে হবে।

পটল গোবিন্দ

উপকরণ

১) পটল খোসা ছাড়ানো ৬টা
২) আলু ডুমো ডুমো করে কাটা ৬ পিস
৩) গোবিন্দভোগ চাল ২৫০ গ্রাম
৪) জিরে গুঁড়ো ও গোটা
৫) নুন ও চিনি
৬) সাদা তেল
৭) হলুদ ও লঙ্কার গুঁড়ো
৮) লেবু পাতা

প্রণালী

পটল খোসা ছাড়িয়ে ভেজে নিন। আলু নুন দিয়ে ছাঁকা ভেজে রাখা। গোবিন্দভোগ চাল বেছে ৩ ঘণ্টা ভিজিয়ে রাখতে হবে। এবার চালে নুন, হলুদ, লঙ্কাগুঁড়ো ও জিরেগুঁড়ো, চিনি দিয়ে মেখে নিতে হবে। এবার কড়াইতে চাল দিয়ে চালটা ভাজা ভাজা হলে আন্দাজমতো গরম জল দিয়ে পটল ও আলু দিয়ে অল্প আঁচে চাপা দিন। শুকনো শুকনো হলে নামিয়ে নিন।

পটল নাগেজ (সোয়াবিনের বড়ি) দোর্মা

উপকরণ

১) বড় বড় পটল ৫টা চেঁচে নিতে হবে এবং ১টা মুখ কেটে ভিতরের বীজগুলো বার করে নিতে হবে
২) সোয়াবিনের বড়িগুলো মিক্সিতে গ্রেট করে নিতে হবে সেদ্ধ করার পর ২৫০ গ্রাম
৩) আদা বাটা ১ চা চামচ।
৪) কিসমিস ২ টেবিল চামচ
৫) হলুদ, জিরে, লঙ্কাগুঁড়ো ১ চামচ করে
৬) গরমমশলা গুঁড়ো ১ চামচ
৭) নারকোল কোরা হাফ চামচ
৮) ছাতু ২ চামচ
৯) নুন, চিনি পরিমাণমতো
১০) সাদা তেল ও ঘি

প্রণালী

পটলগুলো অল্প তেলে ভেজে তুলুন। এবার কড়াইতে তেল দিন। সোয়াবিনের বড়িসমেত বাকি উপকরণগুলো মিশিয়ে ভেজে নিন। মিশ্রণটা ৬ ভাগে ভাগ করুন। ১-১টা ভাগ পটলের মধ্যে ভরে দিন। মুখটা সামান্য আটা দিয়ে আটকে দিন। একটা পাত্রে কর্নফ্লাওয়ার, ময়দা, নুন, বেকিং পাউডার একসাথে গুলে নিন। পটলগুলো ব্যাটারে ডুবিয়ে ফ্রাই করে সসের সঙ্গে পরিবেশন করুন।

একইভাবে পনিরকেও এভাবে রান্না করা যায়।

লাউপাতায় থোড়পাতুরি

উপকরণ

১) লাউপাতা ১০টা
২) ঝিরিঝিরি করে সেদ্ধ করা থোড় ২ কাপ
৩) সাদা সরষে, নারকোল, কাঁচালঙ্কা বাটা ২ চামচ
৪) লঙ্কার গুঁড়ো হাফ কাপ
৫) নারকোল কোরা ২ চামচ বড়
৬) সরষের তেল পরিমাণমতো
৭) নুন ও চিনি স্বাদমতো

প্রণালী

গরম জল ফুটলে পাতাগুলো ডাঁটিসমেত দিয়ে তুলে নেবেন, এতে পাতা গরম থাকবে। এবার উপকরণের সব মিশ্রণগুলো একসাথে মেখে ভাগ করে প্রত্যেকটা পাতায় দিয়ে সাদা সুতো দিয়ে বেঁধে দিন। একটা টিফিন বক্সে গরম জলে ভাপিয়ে মিনিট ২০ রেখে নামিয়ে নিন। মাইক্রোওভেনের মধ্যে ফুল পাওয়ার দিয়ে ১০ মিনিট রেখে তার পরে নামিয়ে নিন।

ছোলা কচু

উপকরণ

১) ভেজানো ছোলা হাফ কাপ।
২) কচুশাক ছাল ছাড়িয়ে ৩ ইঞ্চি করে কেটে অল্প ভাপিয়ে নিয়ে জল ঝরিয়ে রাখতে হবে
৩) ধনেগুঁড়ো ২ চামচ, জিরেগুঁড়ো ১ চামচ
৪) নুন চিনি পরিমাণমতো
৫) হলুদ ও লঙ্কার গুঁড়ো ১ চামচ
৬) সরষের তেল
৭) জিরে, তেজপাতা ফোড়ন
৮) নারকোল কোরা হাফ কাপ
৯) কাঁচালঙ্কা কুচি ২চা চামচ

প্রণালী

কড়াইতে সরষের তেল দিয়ে তেলপাতা ও জিরে ফোড়ন দিন। এবার নারকোল কোরা এবং ভেজানো ছোলা দিন, কচুর শাক দিয়ে দিন। বাকি উপকরণ দিয়ে শুকনো শুকনো করে নামিয়ে পরিবেশন করুন।

পেঁপের চাপড় ঘণ্ট

উপকরণ

১) পেঁপে ঝিরি ঝিরি করে কাটা ২ কাপ

২) মটর ডাল ভিজিয়ে বেটে নুন দিয়ে মেখে সামান্য সরষের তেল তাওয়ায় দিয়ে চাপড় তৈরি করতে হবে।

৩) নুন, চিনি, কাঁচালঙ্কা পরিমাণমতো

৪) সরষের তেল

৫) আদা বাটা

৬) ফোড়নের জন্য মেথি, সরষে (কালো) শুকনো লঙ্কা, তেজপাতা অল্প করে।

প্রণালী

কড়াইতে সরষের তেল দিয়ে সব ফোড়ন দিয়ে পেঁপেটা দিয়ে দিন। নুন, চিনি দিয়ে অল্প আঁচ করে চাপা দিয়ে দিন। এবার পেঁপে সিদ্ধ হয়ে গেলে চাপড় দিয়ে দিন। ভালো করে মিশিয়ে আদা বাটা দিন। নামাবার সময় উপর থেকে সরষের তেল ছড়িয়ে নামিয়ে পরিবেশন করুন।

সবজি চাপড় ঘণ্ট

উপকরণ

১) পটলকুচি, কুমড়ো কুচি, ঝিঙে কুচি, উচ্ছে কুচি, বেগুন কুচি, থোড় কুচি, আলু কুচি, কাঁচালঙ্কা কুচি ২ চামচ
২) আদা বাটা ২ চামচ
৩) মটরডাল ভিজিয়ে বেটে নুন দিয়ে সামান্য তাওয়ায় তেল দিয়ে চাপড় ভেজে তুলতে হবে
৪) সরষের তেল, ঘি ১ চামচ
৫) নুন, চিনি
৬) তেজপাতা ও মেথি ফোড়নের জন্য শুকনো লঙ্কা
৭) নারকোল কোরা

প্রণালী

সব সবজিগুলো আলাদা আলাদা করে ভেজে তুলতে হবে। এবার বাকি তেলে ফোড়ন দিতে হবে। নারকোল কোরা দিয়ে সব সবজিগুলো একসঙ্গে মিশিয়ে চাপড়গুলো হাতে ভেঙে দিয়ে দিতে হবে। এবার নুন, চিনি দিয়ে অল্প আঁচ করে চাপা দিতে হবে। নামাবার সময় আদা বাটা ও ঘি দিয়ে নামিয়ে নিতে হবে।

চানা বড়া

উপকরণ

১) পেঁয়াজ পাতা ১ কাপ কুচনো
২) নুন পরিমাণমতো
৩) চানা ভিজিয়ে সেদ্ধ করে বাটা ৩ কাপ
৪) লেবুর রস ২ চামচ
৫) পার্সলে পাতা ২ বড় চামচ কুচনো
৬) পেঁয়াজ ও রসুন একসাথে বাটা ২ চামচ
৭) সাদা তেল

প্রণালী

নুন, চানা ভিজিয়ে সেদ্ধ করে বেটে নিতে হবে। এবার লেবুর রস, পার্সলে পাতা, রসুন, পেঁয়াজ একসঙ্গে বেঁটে পেঁয়াজ পাতা কুচি মিশিয়ে বড়ার মতো ভেজে নিতে হবে।

বাবা গনুজ

উপকরণ

১) বেগুন পোড়া chopped ৩ কাপ
২) হাফ কাপ সাদা তিল ভেজে রসুন দিয়ে বেটে দই-এর সঙ্গে মেশাতে হবে (এটাই তাহিনা সস)
৩) টমেটো কুচনো
৪) কাঁচালঙ্কা কুচি
৫) পার্সলে পাতা
৬) সাদা তেল

প্রণালী

বেগুন পোড়া করে নিতে হবে। সাদা তিল ভেজে রসুন দিয়ে বেটে দই-এর সঙ্গে মেশাতে হবে। বেগুন, পার্সলে পাতা, টমেটো কুচি, কাঁচালঙ্কা কুচি দিয়ে সামান্য তেলে ভেজে নিতে হবে। উপরে কাঁচালঙ্কা কুচি ছড়িয়ে পরিবেশন করতে হবে।

বড়ি সজনের ঝাল

উপকরণ

১) সজনে ডাঁটা ৫টা পাফ পাফ করে কাটা
২) আলু ছোট লম্বা করে কাটা ১ কাপ
৩) সামান্য সাদা সরষে বাটা ৩ চামচ
৪) বেগুন লম্বা করে কাটা আধ কাপ
৫) সরষের তেল ২ বড় চামচ
৬) কাঁচালঙ্কা ৬/৭টা চেরা
৭) হলুদ ও লঙ্কার গুঁড়ো ২ চামচ
৮) নুন পরিমাণমতো
৯) পাঁচফোড়ন হাফ চা চামচ
১০) বড়ি বড় সাইজের ১০টা ভাজা

প্রণালী

বড় সাইজের বড়ি সরষের তেলে ভেজে তুলতে হবে। এবার বাকি তেলে পাঁচফোড়ন দিয়ে সব সবজিগুলো দিয়ে নেড়ে নিতে হবে। নুন দিয়ে চাপা দিয়ে রাখুন কিছুক্ষণ। এবার হলুদ গুঁড়ো, লঙ্কার গুঁড়ো, কাঁচালঙ্কা দিয়ে জল দিয়ে চাপা দিয়ে রাখুন। নামাবার সময় সরষের তেল ও বড়ি দিয়ে ফুটতে দিন। মাখা মাখা করে নামান।

দহি এঁচোড়

উপকরণ

১) এঁচোড় সেদ্ধ ২ কাপ
২) মটরডাল বাটা ১ কাপ
৩) ছাতু ২ বড় চামচ
৪) নুন ও চিনি পরিমাণমতো
৫) আদা বাটা ২ চামচ
৬) লঙ্কা ও ভাজা মশলার গুঁড়ো ২ চামচ
৭) রাই সরষে হাফ চা চামচ
৮) কাশ্মীরি লঙ্কা গুঁড়ো ১ চামচ
৯) সরষের তেল পরিমাণমতো
১০) টকদই ১০০ গ্রাম

প্রণালী

এঁচোড় সেদ্ধ করে মিক্সিতে পিষে নিতে হবে। এবার মটরডাল বাটা, ছাতু, নুন, চিনি, লঙ্কা গুঁড়ো, আদাবাটা, কিসমিস, ভাজা মশলার গুঁড়ো দিয়ে ভালোভাবে মেখে ছোট ছোট আকারে বল গড়ে তেলে ভাজতে হবে। এবার তেলে রাই সরষে, কারিপাতা, নুন, চিনি, কাশ্মীরি মির্চ ভাজা, মশলা গুঁড়ো, জায়ফল গুঁড়ো দিয়ে জল দিয়ে ফুটতে দিতে হবে। ফুটে উঠলে বল গুলো ছেড়ে দিন। গরম গরম পরিবেশন করতে হবে।

চিলি এঁচোড়

উপকরণ

১) এঁচোড় ডুমো ডুমো করে কাটা
২) লেবুর রস
৩) কর্নফ্লাওয়ার
৪) গোলমরিচ গুঁড়ো
৫) নুন, চিনি
৬) সাদা তেল
৭) চিলি সস, টমেটো সস
৮) কাঁচালঙ্কা কুচি

প্রণালী

এঁচোড় শুধু পিঠটা পিস করে কেটে নিতে হবে ডুমো ডুমো করে। অল্প সেদ্ধ করে নিতে হবে। লেবুর রস, কর্নফ্লাওয়ার, গোলমরিচ গুঁড়ো, নুন মাখিয়ে রাখতে হবে ঘণ্টা দুই। এবার সাদা তেলে ভাজতে একটা করে। চিলি সস, টমেটো সস, কাঁচালঙ্কা কুচি তেলে দিয়ে নেড়ে অল্প চিনি ও নুন দিয়ে এঁচোড় দিয়ে মাখা মাখা করে নামাতে হবে। শুকনো শুকনো করে নামাতে হবে।

এঁচোড় ফিঙ্গার

উপকরণ

১) এঁচোড় সেদ্ধ ২ কাপ
২) আলু সেদ্ধ ১ কাপ
৩) চিনেবাদাম ২ চামচ
৪) নুন, চিনি
৫) আদা বাটা
৬) ডিম ২টা
৭) চালের গুঁড়ো, বিস্কুট গুঁড়ো
৮) কর্নফ্লাওয়ার
৯) জিরে, এলাচ ছোট, শুকনো লঙ্কা, জায়ফল একসাথে শুকনো তাওয়ায় ভেজে গুঁড়ো করা ২ চামচ।
১০) পুদিনা পাতা বাটা ২ চামচ

প্রণালী

এঁচোড় সেদ্ধ করে আলু আর এঁচোড় মিক্সিতে গ্রেট করে নিন। এতে পুদিনা পাতা, চিনি, কর্নফ্লাওয়ার, নুন, আদাবাটা, জিরে, এলাচ, শুকনো লঙ্কা জায়ফল গুঁড়ো মেশান। এবার আঙুলের মতো গড়ে নিন। ডিম ও কর্নফ্লাওয়ার ও সামান্য নুন একটা পাত্রে গুলে নিয়ে ফিঙ্গার ডুবিয়ে বিস্কুটের উপর ছড়িয়ে ভেজে নিন। সসের সঙ্গে পরিবেশন করুন।

মিষ্টি শুক্তো ডালনা

উপকরণ

১) মটরডাল বাটা চাপড় ভেজে নিতে হবে
২) থোড়, লাউ, আলু, বেগুন, বরবটি, লম্বা করে কাটতে হবে
৩) আদা বাটা
৪) জিরে গুঁড়ো
৫) রাঁধুনি বাটা
৬) ময়দা
৭) শুকনো লঙ্কা, তেজপাতা, পাঁচফোড়ন
৮) ঘি
৯) দুধ হাফ কাপ
১০) নুন ও চিনি
১১) সরষে ও পাঁচফোড়ন ভেজে গুঁড়ো করা ২ চামচ

প্রণালী

অল্প তেলে মটরডাল বেটে ছোট ছোট করে বড়া ভেজে তুলুন। কড়াইতে আবার তেল দিন। রাঁধুনি, শুকনো লঙ্কা, পাঁচফোড়ন, তেজপাতা, সরষে ফোড়ন দিয়ে প্রথমে থোড়টা চটকে দিয়ে দিন। পরে সব আনাজগুলো দিয়ে নুন ও মিষ্টি দিয়ে চাপা দিন। এবার সবজি অল্প সেদ্ধ হয়ে এলে জল দিন। রাঁধুনি বাটা, দুধে ময়দা গোলা দিয়ে দিন। নামাবার সময় পাঁচফোড়ন, সরষে ভাজা গুঁড়ো দিয়ে ও ভেজে রাখা চাপড় দিয়ে নামিয়ে নিন।

আমপাতা মুগডাল

উপকরণ

১) আমপাতা কুচি ১ কাপ (কচি আমপাতা)
২) মুগডাল সেদ্ধ ২ কাপ
৩) ক্যাপসিকাম কুচি ২ চামচ
৪) কাঁচালঙ্কা কুচি ২ চামচ
৫) নারকেল কোরা আধ কাপ
৬) সাদা তিল ভাজা ২ বড় চামচ
৭) সাদা জিরে, শুকনো লঙ্কা তেজপাতা ফোড়ন
৮) ঘি ২ চামচ
৯) টমেটো কুচি বড় দু চামচ
১০) কিসমিস দু চামচ
১১) ছোট এলাচ আধ চা চামচ
১২) বিনস্ কুঁচানো আধ কাপ
১৩) সরষের তেল পরিমাণমতো

প্রণালী

মুগডাল কড়াইতে ভেজে সিদ্ধ করে নিন। কড়াইতে তেল চাপান। শুকনো লঙ্কা, তেজপাতা, ছোট এলাচ ফোড়ন দিন। এবার আমপাতা দিয়ে ডালটা ঢেলে দিন। বিনস, ক্যাপসিকাম কোরা, সাদা জিরে গুঁড়ো, নুন, মিষ্টি দিয়ে আরও ২ কাপ জল দিন। ফুটতে শুরু করলে ঘি ও কিসমিস দিয়ে সাদা তিল ভেজে গুঁড়ো দিয়ে নামান।

পটেটো ক্রিসপি ফ্রাই

উপকরণ

১) আলু চৌকো করে অল্প নুন দিয়ে সেদ্ধ করা (চন্দ্রমুখী) ২ কাপ
২) ব্যাটারের জন্য চালের গুড়ো টেবিল চামচ, ওরেগ্যানো বা জোয়ান ১ চামচ, ময়দা হাফ কাপ, কর্নফ্লাওয়ার ২ বড় চা চামচ, নুন পরিমাণমতো
৩) সাদা তেল

প্রণালী

এবার আলু বাদে সব উপকরণ মিশিয়ে ব্যাটার তৈরি করুন। তেল গরম হতে দিন। আলু ব্যাটারে ডুবিয়ে ভেজে তুলুন।

উপরে টমেটো সস ছড়িয়ে পরিবেশন করুন।

কালার রাইস

উপকরণ

১) গাজর বড় ১টা কুঁচানো
২) লাল ক্যাপসিকাম ১টা কুঁচোনো
৩) হলুদ ও সবুজ ক্যাপসিকাম ১টা করে কুঁচানো
৪) পেঁয়াজ (বড়) ১টা কুচনো
৫) কারিপাতা
৬) কাঁচালঙ্কা কুচি ১ চামচ
৭) রাই-সরষে ফোড়ন
৮) বাসমতি চালের ভাত ৩ কাপ
৯) নুন ও চিনি পরিমাণমতো
১০) ডিমের পোচ ১টা
১১) টক দই ১০০ গ্রাম
১২) সাদা তেল

প্রণালী

ভাত আর ডিমের পোচ বাদে কড়াইতে সাদা তেল দিন। বাকি সবজিগুলো দিয়ে নুন ও চিনি দিয়ে এবার কারিপাতা ও রাই-সরষে অন্য একটা কড়াইতে ভেজে সবজির সাথে মেশান। নারকেল কোরা দিয়ে এবার ভাতটা দিয়ে দিন। নেড়ে চেড়ে নাড়িয়ে একটা বড় বাটিতে ভাত দিয়ে চেপে বাটিটা উল্টো করে দিন। উপরে ডিমের পোচ সাজিয়ে পরিবেশন করুন।

বাসন্তী পোলাও

(সঙ্গে আলুর দম, বেগুনি রেডি করে দিতে হবে)

উপকরণ

১) গোবিন্দভোগ চাল ২ কাপ
২) খাওয়ার হলুদ রঙ হাফ চামচ
৩) তেজপাতা ৬/৭টা
৪) কিসমিস ২ চামচ (বড়)
৫) কাজু ২ চামচ
৬) ঘি পরিমাণমতো
৭) কাবাবচিনি গুঁড়ো ১ চামচ
৮) খোয়া ক্ষীর পরিমাণমতো

প্রণালী

চালটা কমপক্ষে ৪ ঘণ্টা ভিজিয়ে রাখুন। এবার তেলে চাল ঝেড়ে দিন। ঘি দিন। বাকি উপকরণগুলো মেখে নিন। খোয়া ক্ষীর রং দিয়ে নামান। ঝরঝরে করে করতে হবে।

চিনে ভাত

উপকরণ

১) নন জিএমও রাইস ৪ কাপ ভাত
২) চিংড়ি মাছ (ছোট) ২০০ গ্রাম ভাজা
৩) বোনলেস চিকেন ফ্লেশ ১ কাপ ভাজা
৪) ডিম ওমলেট করা
৫) স্প্রিং ওনিয়ন হাফ কাপ
৬) মাশরুম কুচি গরম জলে ধুয়ে কাটা
৭) সোয়া সস ২ চামচ
৮) চিলি সস ২ চামচ
৯) নুন প্রয়োজনমতো
১০) অরিগ্যানো ১টা চামচ
১১) তিল তেল ২ বড় চামচ
১২) পেঁয়াজকুচি, কাঁচালঙ্কা কুচি ১ চামচ/হাফ কাপ
১৩) ভিনিগার ১ চামচ

প্রণালী

তেলে চিংড়িমাছ ভেজে দিন। বাকি তেলে চিকেন ফ্লেশ, ডিম, বাকি উপকরণ দিয়ে নাড়তে থাকুন। ভাত দিয়ে আরও কিছুক্ষণ নাড়ুন। গরম গরম পরিবেশন করুন। এমনি গোবিন্দভোগ চালের ভাতেও হতে পারে।

একছড়া

উপকরণ

১) গোবিন্দভোগ চাল ২ কাপ সেদ্ধ
২) মুগডাল ২ কাপ সেদ্ধ
৩) ডুমো করে কাটা আলু ১ কাপ সেদ্ধ
৪) আদাকুচি ২ চামচ
৫) গোটা গরমমশলা ১ চামচ
৬) তেজপাতা ৬টা
৭) জিরে গুঁড়ো ২ চামচ
৮) নুন স্বাদমতো
৯) গাওয়া ঘি ৪ চামচ
১০) সরষের তেল ৪ চামচ
১১) কাঁচালঙ্কা চেরা ৮টি
১২) চিনি পরিমাণমতো

প্রণালী

ঘি/তেল দিন। আলু, আদা, তেজপাতা ফোড়ন দিয়ে ভাত ডাল দিয়ে দিন। এবার একসঙ্গে মিশিয়ে দিন। নামাবার সময় জিরেগুঁড়ো, ঘি, কাঁচালঙ্কা, নুন, চিনি দিয়ে নামান। গরম গরম পরিবেশন করুন।

টমেটো ভাত

উপকরণ

১) টমেটো ৪টে গরম জলে ডুবিয়ে উপরের পাতলা চামড়াটা ফেলে দিয়ে মিক্সিতে গ্রেট করে নিতে হবে
২) ৩ কাপ বাসমতি চালের ভাত
৩) টক দই ১০০ গ্রাম
৪) সাদা তেল
৫) নুন, চিনি স্বাদমতো
৬) কাঁচালঙ্কা কুচি

প্রণালী

কড়াইতে সাদা তেল দিন। তেল তৈরি হলে টমেটো দিয়ে দিন। নুন ও চিনি দিন। এবার ভাতটা দিয়ে দিন। টক দই দিয়ে দিন। নামাবার সময় কাঁচালঙ্কা ছড়িয়ে পরিবেশন করুন। (এই ভাতটা একটু মিষ্টি মিষ্টি হবে)

লেটুস রাইস

উপকরণ

১) লেটুস পাতা কুচি ৪ কাপ
২) বাসমতি রাইস ২ কাপ (ভাত)
৩) নারকেল কুরনো ৪ চামচ
৪) কাঁচালঙ্কা কুচি ২ চামচ
৫) লেটুস পাতা বড় ২টা কুচনো
৬) নুন ও চিনি পরিমাণমতো
৭) সাদা তেল
৮) টক দই হাফ কাপ
৯) দুটো ডিম নুন দিয়ে ঝুরি করা

প্রণালী

লেটুস পাতা ভালো করে ধুয়ে নিন। ভাতটা ঝরঝরে করে নিন। কড়াইতে তেল দিন, রাই সরষে ফোড়ন দিন। নারকেল কোরা দিয়ে ভেজে নিন। এবার ভাতটা দিয়ে দিন। দই, নুন, চিনি দিয়ে নেড়ে নিন। শেষে লেটুস পাতা, কাঁচালঙ্কা দিয়ে চাপা দিন। একটু ঠাণ্ডা করে বক্স-এ ভরে নিন। ডিমের ঝুরি মেশান। আলুভাজার সঙ্গে খান।

পনির পার্সলে রাইস

উপকরণ

১) পনির ২০০ গ্রাম কুচি করে গরম জলে ভেজানো
২) পার্সলে পাতা বড় ৪ চামচ কুচি করা
৩) নুন ও চিনি স্বাদমতো
৪) নুন ও চিনি স্বাদমতো
৫) জোয়ান ১ চামচ
৬) গোলমরিচ গুঁড়ো
৭) সাদা তেল
৮) টমেটো বাটা
৯) টক দই
১০) বাসমতি চাল ২ কাপ

প্রণালী

পনিরকে প্রথমেই নরম করে নিন। কুকারে তেল দিন। তেল তৈরি হলে জোয়ান দিয়ে চাল দিয়ে টমেটো, নুন, চিনি, টক দই শেষে গোলমরিচ গুঁড়ো, পনির, পার্সলে দিয়ে নেড়ে দিন। মাঝে জল দিন। অবশ্য চাল ঘণ্টা ২ ভিজিয়ে রাখুন। কুকারে একটা সিটি দিয়ে পেঁয়াজ ভাজা ছড়িয়ে পরিবেশন করুন।

চিলি কলিফ্লাওয়ার

উপকরণ

১) ফুলকপি বড় বড় করে কাটা ২ কাপ
২) সোয়া সস ২ চামচ
৩) কর্নফ্লাওয়ার পরিমাণমতো
৪) নুন
৫) আদাবাটা
৬) গোলমরিচ গুঁড়ো
৭) সাদা তেল
৮) চিলি সস, টমেটো সস ৪ চামচ করে
৯) কাঁচালঙ্কা কুচি ৪ চামচ
১০) লেবুর রস ২ চামচ

প্রণালী

ফুলকপিটা কর্নফ্লাওয়ার, গোলমরিচ গুঁড়ো ও নুন দিয়ে মেখে রাখতে হবে ২ ঘণ্টা। এবার সাদা তেল তৈরি হলে ১টা ১টা ফুলকপি ভেজে তুলুন। বাকি তেলে কাঁচালঙ্কা দিয়ে সব সসগুলো দিয়ে ২ চামচ লেবুর রস দিয়ে ফুলকপিটা দিয়ে দিন। ভালোভাবে নেড়ে চেড়ে কর্নফ্লাওয়ার জলে গুলে শুকনো শুকনো করে নামান।

ফুলকপির দোপেঁয়াজা

উপকরণ

১) ফুলকপি ছোট ছোট করে কাটা ২ কাপ
২) পেঁয়াজ ও আদাবাটা ২ চামচ করে
৩) পেঁয়াজ কুচি হাফ কাপ ভাজা
৪) নুন ও চিনি স্বাদমতো
৫) গরমমশলা গুঁড়ো ১ চামচ
৬) জিরেগুঁড়ো ১ চামচ
৭) সাদা তেল
৮) টক দই ৫০ গ্রাম
৯) গোলাপ জল ২ চামচ
১০) কাজুবাটা হাফ কাপ

প্রণালী

ফুলকপিগুলো সাদা তেলে ছেঁকে ভেজে নিন। বাকি তেলে পেঁয়াজ ভাজা বাদে সব উপকরণ দিয়ে কষে নিন। ফুলকপি দিয়ে সামান্য জল দিন। এবার ফুলকপি সেদ্ধ হয়ে এলে গোলাপ জল, ভাজা পেঁয়াজকুচি দিয়ে উপরে ছড়িয়ে নামিয়ে নিন।

তিতার ডাল

উপকরণ

১) লাউ ২ কাপ ছোট ছোট করে বাটা
২) উচ্ছে কুচনো ২ কাপ
৩) রাঁধুনি বাটা ১ চামচ
৪) ঘি
৫) আদাবাটা
৬) মটরডাল ২ কাপ সেদ্ধ করা
৭) শুকনো লঙ্কা
৮) মেথি হাফ চামচ
৯) নুন ও চিনি
১০) সরষের তেল

প্রণালী

কড়াইতে তেল দিন। শুকনো লঙ্কা ও মেথি ফোড়ন দিয়ে উচ্ছেটা ভেজে নিন। এবার লাউটা দিয়ে দিন। সামান্য জল দিয়ে লাউটা সেদ্ধ করুন। এবার ডাল, নুন মিষ্টি দিন। নামাবার সময় ঘি, রাঁধুনি ও আদা বাটা দিয়ে নামিয়ে নিন।

পাঁচমেশালি ডাল

উপকরণ

১) ১ কাপ মুগডাল ভাজা
২) হাফ কাপ বিউলির ডাল
৩) হাফ কাপ মটরডাল
৪) হাফ কাপ অড়হড় ডাল
৫) হাফ কাপ মসুর ডাল
৬) আদাবাটা ১ চামচ
৭) হলুদগুঁড়ো ১ চামচ
৮) নুন ও চিনি পরিমাণমতো
৯) সরষের তেল
১০) তেজপাতা ২টা, শুকনো লঙ্কা ২টা
১১) পাঁচফোড়ন ১ চামচ
১২) ঘি পরিমাণমতো
১৩) হিং

প্রণালী

কুকার বসান, সরষের তেল দিয়ে তেজপাতা, শুকনো লঙ্কা, পাঁচফোড়ন দিন ও হিং দিয়ে জল ঢেলে দিন। সব ডাল ধুয়ে দিন। আদাবাটা, হলুদগুঁড়ো, নুন ও চিনি দিয়ে ৩টে সিটিতে নামান। কুকারের মুখ খুলে ঘি দিয়ে ঘন ঘন করে নামান।

মুগের ক্ষীর

উপকরণ

১) মুগডাল ঘি দিয়ে ভেজে সেদ্ধ করে বাটা ২ কাপ
২) চিনি পরিমাণমতো
৩) দুধ ৮ কাপ
৪) কনডেন্সড মিল্ক হাফ কাপ
৫) আমন্ড কুচি ৪ চামচ
৬) পেস্তা কুচি ৪ চামচ
৭) কিসমিস ৪ বড় চামচ
৮) কাজু কুচি ৪ বড় চামচ
৯) গোলাপজল ২ চামচ
১০) নারকেল কোরা হাফ কাপ

প্রণালী

ঘি দিন। ডাল ভেজে তুলুন। এবার ঘন দুধ দিয়ে আরও কিছুক্ষণ নাড়তে থাকুন। ডেলা যেন না হয়। এবার বাকি উপকরণ দিন। নামানোর সময় ওপরে গোলাপজল নারকেল কোরা দিয়ে নামান।

ব্রেড ভেজ মিক্সড

উপকরণ

১) পাউরুটি স্লাইস ছোট করে কাটা সাদা তেলে নেড়ে নিতে হবে
২) বাঁধাকপি ১ কাপ (সেদ্ধ)
৩) টমেটো হাফ কাপ (সেদ্ধ)
৪) বিনস্ হাফ কাপ (সেদ্ধ)
৫) গাজর হাফ কাপ (সেদ্ধ)
৬) আলু ১ কাপ (সেদ্ধ)
৭) নুন ও চিনি
৮) কাঁচালঙ্কা কুচি
৯) আমচুর গুঁড়ো

প্রণালী

এবার কড়াইতে সাদা তেল দিন। সবজিগুলো দিয়ে নুন, চিনি, আমচুর গুঁড়ো, কাঁচালঙ্কা, পাউরুটির টুকরো দিয়ে নেড়ে নিন। টমেটো সস দিন। পাউরুটির টুকরোগুলো জলে ভিজিয়ে মেখে নিন। জিরে, শুকনো লঙ্কা কড়াইতে নেড়ে নিন। ছোট এলাচগুঁড়ো মেলান। সবজিতে ছড়িয়ে দিন। কুচনো পেঁয়াজ দিয়ে টিফিন বক্সে ভরে দিন।

ব্রাউনি

উপকরণ

১) ডিম ৪টে
২) ময়দা ১১/২ কাপ
৩) চিনি ১১/২ কাপ
৪) মাখন ২৫০ গ্রাম
৫) ডার্ক চকোলেট বার ১০০-১৫০ গ্রাম
৬) আখরোট ক্রাশ করা

প্রণালী

প্রথমে চিনি আর ময়দা ভালো করে মিশিয়ে মাখন দিয়ে মিক্সিতে ঘুরিয়ে নিতে হবে। এবার ৪টে ডিম দিয়ে দিতে হবে। এবার ডার্ক চকোলেট মাখনে গলিয়ে নিতে হবে। সব একসাথে মিশিয়ে একটা ওভেন প্রুফ পাত্রে সামান্য মাখন মাখিয়ে মিশ্রণটা ঢেলে দিতে হবে। এবার ওভেনে ১৮০ ডিগ্রি সেলসিয়াস তাপমাত্রায় ২০ মিনিট বেক করতে হবে।

অভিনব বাঁধাকপি

উপকরণ

১) বাঁধাকপি ২ কাপ কুচিয়ে অল্প ভাপিয়ে নিতে হবে
২) মটরডাল বাটা ১ কাপ
৩) সরষের তেল
৪) টক দই ৫০ গ্রাম
৫) সরষে ফোড়ন
৬) কাঁচালঙ্কা কুচি ২ চামচ
৭) নুন ও চিনি
৮) সরষে ও কাঁচালঙ্কা বাটা ২ চামচ

প্রণালী

মটর ডালকে সরষের তেলে দিয়ে ভেজে নিন। এবার বাঁধাকপি সঙ্গে সব উপকরণ দিয়ে দিন। নামাবার সময় কাঁচা সরষের তেল ছড়িয়ে নামিয়ে নিন।

ফ্রায়েড চাউমিন

উপকরণ

১) রাইস নুডল্‌স সেদ্ধ ২ কাপ
২) ডিম ২টি
৩) আলুসেদ্ধ ১ কাপ
৪) কাঁচালঙ্কা কুচি ১ চামচ
৫) পেঁয়াজ কুচি ১টা বড়
৬) আদা কুচি ১ ইঞ্চি
৭) রসুন কুচি ৪ কোয়া
৮) ক্যাপিসিকাম কুচি ২ চামচ
৯) ক্যাপসিকাম ২ চামচ
১০) কর্নফ্লাওয়ার স্বাদমতো
১১) নুন ও চিনি প্রয়োজনমতো
১২) সস
১৩) স্যালাড

প্রণালী

চাউমিন সেদ্ধ করে ঠাণ্ডা হলে ধুয়ে নিন। বাকি উপকরণ তেলে ভেজে তুলুন। বাকি তেলে চাউমিন ভেজে তুলুন। কর্নফ্লাওয়ার সোয়া সস একসঙ্গে গুলে দিয়ে নামান। স্যালাডের সঙ্গে পরিবেশন করুন।

নিরামিষ মাংস

উপকরণ

১) উইথ বোন পাঁঠার মাংস (সুসিদ্ধ) ১ কেজি
২) আদাবাটা ৪ চামচ
৩) গোলমরিচ বাটা ৪ চামচ
৪) জিরে বাটা ৬ চামচ
৫) ধনেবাটা ৮ চামচ
৬) হলুদগুঁড়ো ২ চামচ
৭) টক দই ২০০ গ্রাম
৮) গরমমশলা বাটা ২ চামচ
৯) ঘি ১০০ গ্রাম
১০) শুকনো লঙ্কা গুঁড়ো ৪ চামচ
১১) নুন ও চিনি পরিমাণমতো

প্রণালী

সব উপকরণ একসঙ্গে মেখে নিন। কুকারে বসান। ঘি/তেলে দিন। কষিয়ে নিন। গরমজল দিয়ে ৫টা সিটিতে নামান। গরম গরম পরিবেশন করুন।

গ্রিন ফিশ মেওনিজ

উপকরণ

১) রুই মাছের পেটি ছ'টা
২) টমেটো পিউরি হাফ কাপ
৩) পুদিনা পাতার পেস্ট হাফ কাপ
৪) কাঁচা লঙ্কা বাটা ২ চামচ
৫) সাদা তেল পরিমাণমতো
৬) মেওনিজ বড় ২ চামচ
৭) চাট মশলা ২ চা চামচ
৮) ক্যাপসিকাম কাটা ২ চামচ
৯) নুন ও চিনি পরিমাণমতো
১০) সাজাবার জন্য ১টা বড় লেটুস পাতা

প্রণালী

মাছটা ধুয়ে সামান্য তেলে অল্প ভেজে নিন। এবার অবশিষ্ট সাদা তেলে মেওনিজ আর লেটুস পাতা বাদে সব উপকরণ ঢেলে দিন। এবার পরিমাণমতো নুন ও চিনি দিন। মাছ দিয়ে দিন। নামাবার সময় মেওনিজ দিয়ে লেটুস পাতার উপর সাজিয়ে দিন।

ক্যাপসি ফিশ

উপকরণ

১) ভেটকি মাছের ফিলে অথবা কাঁটা ছাড়া
যে কোনো মাছ ২৫০ গ্রাম
২) ক্যাপসিকাম কুচানো হাফ কাপ
৩) ক্যাপসিকাম বাটা হাফ কাপ
৪) টক-দই ৫০ গ্রাম
৫) টমেটো কুচি হাফ কাপ
৬) ঘি ২ চামচ
৭) নুন মিষ্টি স্বাদমতো
৮) কাঁচালঙ্কা কুচি ১ চামচ
৯) গরমমশলা কুচি ১ চামচ

প্রণালী

মাছটা ধুয়ে অল্প নুন মাখিয়ে ভেজে তুলুন। বাকি তেলে সব উপকরণগুলো ঘি আর গরম মশলা বাদে দিয়ে দিন। এবার নুন চিনি দিয়ে মাছগুলো দিয়ে দিন কম আঁচে চাপা দিয়ে দিন। সামান্য শুকনো হলে ঘি আর গরম মশলা দিয়ে নামিয়ে নিন।

সাজানোর জন্য

ক্যাপসিকাম স্লাইস আর টমেটোর স্লাইস দিয়ে সাজিয়ে দিন।

মাছের ধোকা

উপকরণ

১) বোনলেস ভেটকি/রুই সেদ্ধ করা ২ কাপ
২) মটরডাল বাটা ২ কাপ
৩) ডিম ২টি
৪) আদাবাটা ২ চামচ
৫) রসুন বাটা ২ চামচ
৬) পেঁয়াজ বাটা ৪ চামচ
৭) শুকনো লঙ্কাগুঁড়ো ২ চামচ
৮) হলুদগুঁড়ো ১ চামচ
৯) টমেটো বাটা ৪ চামচ
১০) কাশ্মীরি লঙ্কা ২ চামচ
১১) গরম মশলা ১ চামচ
১২) ঘি ২ চামচ
১৩) নুন ও চিনি পরিমাণমতো
১৪) চন্দ্রমুখী আলু সেদ্ধ করা ২ কাপ চৌকো করে কাটা

প্রণালী

ডাল ও মাছের সব উপকরণ অর্ধেক করে মেশান। বাকি অর্ধেক ঝোলের জন্য রাখুন। এবার ঘি দিয়ে পুর ভেজে তুলুন। একটা থালায় তেল দিয়ে পুরটা ঢালুন। চৌকো করে কেটে ভেজে তুলুন। এবার তেলে আলু ভেজে বাকি রাখা উপকরণ দিয়ে কষে জল দিন। ফুটে উঠলে ধোকা দিয়ে নামান।

ভেটকি পোলাও

উপকরণ

১) বাসমতি চাল ২৫০ গ্রাম
২) ভেটকি মাছ ছোট ছোট পিস করে বাটা ১ কাপ
৩) জায়ফল গুঁড়ো ১ চামচ
৪) গোটা গরম মশলা ১ চামচ
৫) আদা, পেঁয়াজ, জিরেবাটা ১ চামচ
৬) ঘি ১ চামচ
৭) সাদা তেল ২ চামচ
৮) তেজপাতা ২টা
৯) গোলাপ জল ১ চামচ
১০) চেরি হাফ কাপ কুচনো
১১) দুধ ২৫০ গ্রাম

প্রণালী

দুধ ও নুন দিয়ে ভাতটা ঝরঝরে করে নিন। এবার কড়াইতে ঘি আর তেল দিন। তেজপাতা ও গোটা গরমমশলা ফোড়ন দিন। মাছটা আগে থেকে অল্প নুন দিয়ে ভেজে রাখুন। এবার কড়াইতে ভাত দিয়ে দিন। আদা বাটা, পেঁয়াজ বাটা, জিরে গুঁড়ো দিয়ে দিন। জায়ফল গুঁড়ো দিন। এবার চিনি আন্দাজমতো দিন মিষ্টি মিষ্টি হবে এই ভেবে। নামানোর সময় গোলাপজল ও চেরি দিয়ে পরিবেশন করুন।

লেমন ভেটকি

উপকরণ

১) লেবুর রস বড় ২ চামচ
২) চৌকো করে ভেটকি মাছ কাটা ২ কাপ
৩) কর্নফ্লাওয়ার পরিমাণমতো
৪) বাদাম ভাজা হাফ কাপ
৫) পেঁয়াজ বাটা ৪ চা চামচ
৬) কাশ্মীরি লঙ্কার গুঁড়ো ১ চামচ
৭) চাট মশলা ২ চামচ
৮) নুন, চিনি সামান্য
৯) টমেটো পিউরি ২ চামচ

প্রণালী

সব উপকরণ দিয়ে মাছটা অন্ততপক্ষে ৪ ঘণ্টা ভিজিয়ে রাখুন। এবার সরষে তেল গরম হলে মাছগুলো ছাঁকা তেলে ভেজে নিন। সসের সঙ্গে পেঁয়াজ শশার সাথে পরিবেশন করুন।

শাহি ভেটকি

উপকরণ

১) ভেটকি মাছ ১০টা সাদা তেল ও নুন দিয়ে ভেজে নিন
২) জায়ফল, জয়িত্রী, গরমমশলা একসঙ্গে ভেজে গুঁড়ো করে নিন
৩) কাশ্মীরি লঙ্কার গুঁড়ো ১ চামচ
৪) হলুদগুঁড়ো ১ চামচ
৫) আদা বাটা ২ চামচ
৬) নারকোলের দুধ ২ কাপ
৭) তেজপাতা ২টা
৮) গোলাপজল ২ চামচ
৯) কেশর ১ চুটকি
১০) নুন, চিনি

প্রণালী

কড়াইতে তেল দিন। গোলাপজল আর জাফরান বা কেশর ছাড়া সব উপকরণগুলো দিয়ে দিন এবং মাছটা দিয়ে দিন। কিছুক্ষণ রান্না করে গোলাপজল ও কেশর দিয়ে নামিয়ে পরিবেশন করুন।

ভেটকির রোল

উপকরণ

১) ডিম ৪টি
২) কর্নফ্লাওয়ার পরিমাণমতো
৩) পেঁয়াজ বাটা ২ চামচ
৪) আদা বাটা ২ চামচ
৫) রসুন বাটা ২ চামচ
৬) ভেটকি বড় বড় ফিলেট ৬টা
৭) ব্রেডফ্র্যামস পরিমাণমতো
৮) বড় পাঁউরুটি স্লাইস ৬টা
৯) টুথ পিক্ ৬টা
১০) জিরেগুঁড়ো ২ চামচ
১১) গরমমশলা, জায়ফল রোস্ট করে গুঁড়ো
১২) নুন ও চিনি পরিমাণমতো
১৩) ময়দা হাফ কাপ
১৪) কাঁচালঙ্কা কুচি ১ চামচ

প্রণালী

বোনলেস ভেটকি মাছের মধ্যে আলু সেদ্ধ কাঁচালঙ্কা কুচি, গরমমশলা, কিসমিস, পেঁয়াজ ভাজা দিয়ে পুরো রেডি করুন। এবার পাউরুটি চাকিতে বেলে নিন। পুর ভরে নিন। এবার ব্যাটার করুন। ময়দা, নুন, চিনি, ডিম দিয়ে। পাউরুটিতে পুর দিয়ে রোল করুন। টুথপিক গেঁথে ব্যাটারে ডুবিয়ে ভাজুন। সস দিন।

থোড় চিংড়ি

উপকরণ

১) থোড় ২ কাপ কুচিয়ে অল্প হলুদ দিয়ে সেদ্ধ করা
২) চিংড়ি মাছ ছাড়িয়ে ১ কাপ নুন দিয়ে ভাজা
৩) হাফ কাপ আলু ডুমোডুমো করে সেদ্ধ করা
৪) ঘি ১ চা-চামচ
৫) গরম মশলা বাটা ১ চা-চামচ
৬) ফোড়নের জন্য জিরে হাফ চামচ, তেজপাতা ২টা, হিং সামান্য
৭) আদা বাটা ১ চামচ
৮) নারকোল কোরা হাফ কাপ
৯) নুন, চিনি পরিমাণমতো
১০) হলুদগুঁড়ো সামান্য
১১) কাঁচালঙ্কা কুচি ২ চামচ
১২) সরষের তেল পরিমাণমতো

প্রণালী

থোড়টা অল্প হলুদ দিয়ে সেদ্ধ করে হাত দিয়ে ঠেসে নিতে হবে। এবার কড়াইতে সরষের তেল দিয়ে চিংড়ি মাছটা ভেজে তুলুন। বাকি তেলে তেজপাতা, হিং, জিরে ফোড়ন দিন। আলুটা দিয়ে হিং নেড়ে নারকোল কোরা ও থোড় দিয়ে কিছুক্ষণ নাড়ুন। এবার আদা বাটা ও হলুদগুঁড়ো গরমমশলা বাটা দিয়ে চিংড়ি মাছ দিয়ে সামান্য জল দিয়ে কম আঁচে চাপা দিয়ে দিন। কাঁচালঙ্কা কুচি দিয়ে আর কিছুক্ষণ নেড়ে নামিয়ে নিন।

সাজানোর জন্য

কাঁচা নারকোল কোরা দিয়ে সাজিয়ে দিন।

লতি-চিংড়ির পাতুরি

উপকরণ

১) লতি পাফ করে কেটে ছাল ছাড়িয়ে ধুয়ে সামান্য ভাপিয়ে নিন ৩ কাপ
২) চিংড়িমাছ খোসা ছাড়িয়ে অল্প নুন দিয়ে ভেজে রাখুন ১ কাপ
৩) সরষের তেল
৪) জিরে, তেজপাতা, ফোড়নের জন্য
৫) নারকোল কোরা হাফ কাপ
৬) সরষেবাটা ১ বড় চা চামচ
৭) নুন, হলুদ, চিনি, লঙ্কার গুঁড়ো পরিমাণমতো

প্রণালী

লতি সামান্য ভাপিয়ে নিতে হবে চিংড়ি মাছ ছাড়িয়ে অল্প নুন, হলুদ মাখিয়ে নিতে হবে এবং তেলে ভেজে নিতে হবে। এবার সরষের তেলে জিরে, তেজপাতা ফোড়ন দিতে হবে। সামান্য নারকোল কুরো প্রথমে কড়াইতে দিয়ে লতি দিয়ে দিতে হবে। এবার সরষেবাটা, নুন, হলুদ, লঙ্কাকুচি, লঙ্কার গুঁড়ো, চিনি দিয়ে চিংড়ি মাছ দিয়ে কিছুক্ষণ নেড়ে নুন দিয়ে কাঁচা সরষের তেল ছড়িয়ে নামিয়ে নিন।

চিংড়ি ফুল

উপকরণ

১) চিংড়ি খোসাছাড়ানো লেজের দিক রেখে বড় সাইজ বাগদা
২) কুচো চিংড়ি খোসা ছাড়ানো ২৫০ গ্রাম
৩) পেঁয়াজকুচি ১টা বড়
৪) রসুন কুচনো ৪ কোয়া
৫) কাঁচা লঙ্কা কুচনো ৬টা
৬) লবণ পরিমাণমতো
৭) হলুদগুঁড়ো ২ চামচ
৮) লঙ্কাগুঁড়ো ২ চামচ
৯) বিস্কুটগুঁড়ো প্রয়োজনমতো
১০) বেসন হাফ কাপ
১১) অ্যারারুট বিস্কুট গুঁড়ো হাফ কাপ
১২) সর্ষের তেল ভাজার জন্য

প্রণালী

চিংড়িমাছ কুচো ভেজে নিন। বাকি উপকরণগুলো তেলে ভেজে নিন। ব্যাসন মেশান। একসঙ্গে মেখে নিন। গোল করে বড় চিংড়ি ফুলের মতো গেঁথে ভেজে তুলুন। স্যালাডের সঙ্গে পরিবেশন করুন।

কচুপাতায় চিংড়ি পোস্ত

উপকরণ

১) দুধ কচুপাতা শুধু পাতা—দুধ কচুপাতা ধুয়ে ৬ কাপ কুচনো
২) পোস্ত গোটা ২/৪ চামচ
৩) নারকেল কোরা ১ কাপ
৪) চিংড়ি মাছ (বাগদা মিডিয়াম সাইজ) ২৫০ গ্রাম
৫) শুকনো লঙ্কা গোটা ৪টি
৬) কাঁচালঙ্কা কুচি ২ চামচ
৭) নুন ও চিনি স্বাদমতো
৮) সরষের তেল পরিমাণমতো

প্রণালী

কড়ায় তেল দিন, পোস্ত ফোড়ন দিন, শুকনো লঙ্কা দিন। চিংড়িমাছ ভেজে নিন। কচুপাতা দিন। লঙ্কা, নুন, চিনি দিয়ে চাপা দিন। সরষের তেল ছড়িয়ে নামান। শুকনো করে।

চিংড়ি মোচার কোর্মা

উপকরণ

১) চিংড়ি মাছ বাগদা (১৬টা)
২) মোচা ৪ কাপ সেদ্ধ করা
৩) আলু চন্দ্রমুখী ২ কাপ
৪) নারকেল কোরা ১ কাপ
৫) নারকেল বাটা ১ কাপ
৬) খোয়া ক্ষীর হাফ কাপ
৭) কাঁচালঙ্কা কুচি ২ চামচ
৮) জিরেগুঁড়ো হাফ চামচ
৯) তেজপাতা ৬টা
১০) হিংগুঁড়ো ১ চুটকি
১১) মটরডাল বাটা ১ কাপ
১২) আদাবাটা ২ চামচ
১৩) জিরেবাটা ২ চামচ
১৪) ধনেগুঁড়ো ২ চামচ
১৫) গরমমশলা গুঁড়ো ১ চামচ
১৬) ঘি ২ চামচ
১৭) নুন, চিনি পরিমাণমতো
১৮) কিসমিস ৪ চা চামচ

প্রণালী

মোচার সঙ্গে ডাল, নারকেল কোরা, কাঁচালঙ্কা, নুন, চিনি, জিরেগুঁড়ো, গরমমশলা দিয়ে মেখে চাপড়ের মতো ভেজে তুলুন। এবার তেলে হিং/তেজপাতা/জিরে, ফোড়ন দিন। চিংড়িমাছ ভেজে তুলুন। সব মশলা দিয়ে কষিয়ে জল দিন। মাছ ফুটলে চাপড় দিয়ে ঘন ঘন করে নামান। ঘি দিন। কিসমিস ছড়িয়ে পরিবেশন করুন।

লেটুস পমফ্রেট

উপকরণ

১) পমফ্রেট মাছ ৬টা
২) লেটুস পাতা ২ কাপ কুচনো
৩) সরষে (সাদা) বাটা ২ চামচ
৪) নুন পরিমাণমতো
৫) মাখন ১ চামচ
৬) কাশ্মীরি লংকা ১ চামচ
৭) সাদা তেল পরিমাণমতো

প্রণালী

তেলে মাছটা অল্প করে ভেজে তুলুন এবং ছুরি দিয়ে সামান্য গা-টা কেটে দিন। এবার বাকি তেলে লেটুস পাতা, কাশ্মীরি লঙ্কার গুঁড়ো, নুন, সাদা সরষে বাটা দিয়ে মাছ দিয়ে চাপা দিন। কম আঁচে মাছটা ফুটতে দিন। এবার উপরে মাখন ছড়িয়ে লেটুস পাতার উপরে সাজিয়ে দিন।

লেটুস ট্যাংরা

উপকরণ

১) লেটুস পাতা কুচানো ২ কাপ
২) ট্যাংরা মাছ বড় ৬টা নুন দিয়ে ভাজা
৩) সাদা তিল বাটা হাফ কাপ
৪) কাঁচালঙ্কা কুচি ২ চামচ
৫) সরষের তেল পরিমাণমতো
৬) সাদা সরষে ফোড়ন
৭) নুন ও চিনি স্বাদমতো
৮) সামান্য হলুদগুঁড়ো

প্রণালী

কড়াইতে সরষের তেল দিন। সাদা সরষে ফোড়ন দিন। লেটুস পাতা দিয়ে মাছটা কড়াইতে দিয়ে দিন। এবার তিল বাটা, নুন চিনি, কাঁচালঙ্কাগুলো দিয়ে অল্প আঁচে চাপা দিয়ে রাখুন। নামাবার সময় উপরে সরষের তেল ছড়িয়ে কিছুক্ষণ রেখে পরিবেশন করুন।

বেগুন তপসে

উপকরণ

১) তপসে মাছ ১০টা সামান্য তেল দিয়ে ভাজা
২) বেগুন লম্বা লম্বা করে কাটা ১ কাপ
৩) ধনেপাতা কুচনো হাফ কাপ
৪) কাঁচালঙ্কা চেরা ৪টা
৫) ২ চামচ পেস্ট, ২ চামচ সরষে ও ২টা কাঁচালঙ্কা বাটা একসঙ্গে
৬) হাফ চামচ কালোজিরে ফোড়ন
৭) নুন পরিমাণমতো
৮) সরষের তেল
৯) হলুদ ও লঙ্কার গুঁড়ো
১০) টমেটো কুচি হাফ কাপ

প্রণালী

মাছটা ভেজে কালোজিরে ফোড়ন দিয়ে বেগুন দিয়ে ভালো করে ভেজে নিন, এবার বাকি উপকরণগুলো দিয়ে চাপা দিন। সামান্য জল দিয়ে দিন। জলটা ফুটলে মাছগুলো দিন। কম আঁচে ফুটতে দিন। মাখা মাখা হয়ে গেলে উপর থেকে সরষের তেল ছড়িয়ে নামিয়ে নিন।

তপসে ফ্রাই

উপকরণ

১) তপসে মাছ ৬টা (নুন, গোলমরিচ, লেবুর রস দিয়ে ম্যারিনেট)
২) চালের গুঁড়ো হাফ কাপ
৩) বেসন হাফ কাপ
৪) ডিম ২টি
৫) শুকনো লঙ্কা ১ চামচ
৬) নুন পরিমাণমতো
৭) সরষের তেল

প্রণালী

মাছ ২টি মেখে অন্ততপক্ষে ২ ঘণ্টা রাখুন। এবার তেলে তৈরি হতে দিন। ব্যাটার তৈরি করুন বাকি উপকরণ দিয়ে। ব্যাটারে মাছ ডুবিয়ে ডুবিয়ে ভেজে তুলুন। সসের সঙ্গে পরিবেশন করুন।

ফিশ পকোড়া উইথ গ্রিন সস

উপকরণ

১) মাছ সেদ্ধ ১ কাপ হাত দিয়ে চটকে নিতে হবে
২) পেঁয়াজকুচি ২ চামচ (বড়)
৩) আদা ও রসুনকুচি ১ চামচ
৪) কাঁচালঙ্কাকুচি ১ চামচ
৫) গরমমশলা গুঁড়ো ১ চামচ
৬) নুন স্বাদমতো
৭) সাদা তেল
৮) লেবুর রস ১ চামচ
৯) ডিম ২টা
১০) কর্নফ্লাওয়ার হাফ কাপ

প্রণালী

তেল ছাড়া সব উপকরণগুলো একসাথে মেখে নিন। ইচ্ছা হলে ধনেপাতা কুচি দিতে পারেন। সাদা তেল কড়াইতে দিন। সাদা তেল তৈরি হলে মাছ মাখাটা পকোড়ার মতো করে ডিপ ফ্রাই করে তুলে নিন। সসের সঙ্গে স্যালাডের সঙ্গে পরিবেশন করুন।

ক্যাপসিকাম বেবি কর্ন ফিশ

উপকরণ

১) ক্যাপসিকাম বড় চৌকো করে কাটা ২ কাপ
২) বেবি কর্ন গোল করে কাটা হাফ কাপ
৩) ভেটকি মাছ চৌকো করে কাটা ১ কাপ
৪) লেটুস পাতা বড় করে কাটা ২ কাপ
৫) সাদা তেল, ঘি
৬) গোলমরিচ গুঁড়ো
৭) কাশ্মীরি লঙ্কার গুঁড়ো
৮) নুন, চিনি
৯) মাখন ২ চামচ

প্রণালী

মাছটা অল্প করে নুন মাখিয়ে ভেজে নিন। সেই তেলে মাখন ছাড়া সব উপকরণগুলো একসঙ্গে দিয়ে দিতে হবে। অল্প আঁচে চাপা দিয়ে রাখুন সবজি সেদ্ধ হলে মাখন দিয়ে নামিয়ে পরিবেশন করুন।

কুদরি কারি উইথ প্রন

উপকরণ

১) কুদরি ধুয়ে গোল গোল করে কাটা ২ কাপ
২) চিংড়ি মাছ খোসা ছাড়িয়ে ভাজা ১ কাপ
৩) টমেটো পিউরি ১ কাপ
৪) ধনে গুঁড়ো ১ চামচ
৫) আদা বাটা ১ চামচ
৬) নারকোল দুধ ১ কাপ
৭) হলুদ ও লঙ্কার গুঁড়ো ১ চামচ
৮) নুন, চিনি পরিমাণমতো
৯) সরষের তেল

প্রণালী

কড়াইতে সরষের তেল দিয়ে কুদরি দিয়ে অল্প নুন, দিয়ে চাপা দিতে হবে। এবার বাকি সব উপকরণগুলো মেশাতে হবে। কিছুক্ষণ নেড়ে নারকোলের দুধ দিয়ে দিতে হবে, শুকনো শুকনো করে নামাতে হবে।

চিতল মাছের মুইঠ্যা

উপকরণ

১) চিতল মাছ কুরিয়ে ১ কাপ
২) পেঁয়াজ ও আদাবাটা ২ চামচ রসুন বাটা ১ চামচ
৩) হলুদ, লঙ্কা গরমমশলা গুঁড়ো
৪) নুন, চিনি পরিমাণমতো
৫) সামান্য কর্নফ্লাওয়ার
৬) সরষের তেল
৭) টমেটো পিউরি
৮) টক দই ১০০ গ্রাম
৯) তেজপাতা ও জিরে

প্রণালী

চিতল মাছটাকে ভালো করে ধুয়ে পেঁয়াজ, আদা, রসুন বাটা, নুন, চিনি, কর্নফ্লাওয়ার, হলুদ ও লঙ্কার গুঁড়ো ও গরম মশলাগুঁড়ো দিয়ে মেখে নিন। এবার সরষের তেলে মাছটা মুঠো মুঠো করে ভেজে তুলুন। বাকি তেলে তেজপাতা, জিরে, গোটা গরম মশলা ফোড়ন দিয়ে পেঁয়াজ, আদা, রসুন বাটা দিয়ে নুন, চিনি, লঙ্কার গুঁড়ো আর টক দই দিয়ে ভালো করে কষে নিন। জল দিন, ঝোল কুটতে শুরু করলে মুইঠ্যাগুলো ছেড়ে দিন। মাখা মাখা করে নামান, ইচ্ছে করলে আলু চৌকো চৌকো করে কেটে তেলে ভেজে মাছে দিয়ে দিতে পারেন।

দই চিতল

উপকরণ

১) চিতলমাছের পেটি ৬ পিস
২) টক দই ৫০ গ্রাম
৩) সাদা সরষে বাটা ২ চামচ
৪) ক্যাপসিকাম বাটা ২ চামচ
৫) কাঁচালঙ্কা বাটা ২ চামচ
৬) টমেটো পিউরি হাফ কাপ
৭) নারকেল দুধ হাফ কাপ
৮) সরষের তেল
৯) হলুদ ও লঙ্কার গুঁড়ো

প্রণালী

মাছটা অল্প নুন ও হলুদ মাখিয়ে তেলে ভেজে তুলুন। বাকি সব উপকরণ দিয়ে কষে নিন। নারকেলের দুধ দিয়ে ফুটতে দিন। এবার মাছগুলো ছেড়ে দিয়ে ঢিমে আঁচে চাপা দিয়ে দিন। মাখা মাখা হয়ে এলে সরষের তেল ছড়িয়ে নামিয়ে নিন।

ভাপা ইলিশ

উপকরণ

১) ইলিশ মাছ পেটি ও গাদা মিলিয়ে ৬টা
২) সাদা সরষে, তিল, নারকোল বাটা একসাথে ৪টা চামচ
৩) সরষের তেল
৪) নুন, চিনি
৫) নারকোল দুধ
৬) টক দই ১০০ গ্রাম
৭) কাঁচালঙ্কা ৬/৮টা মাঝে চেরা

প্রণালী

ইলিশ মাছ সামান্য তেলে এ-পিঠ ও-পিঠ করে নিন। এবার সব উপকরণগুলো মাছে মেখে সরষের তেল ছড়িয়ে কাঁচালঙ্কা চিরে একটা টাইট টিফিন বক্সে দিয়ে গরম জলে বসিয়ে অথবা কুকারের জলে বসিয়ে ১ সিটিতে নামান। মাইক্রোয়েভেও গ্রিল ফুল পাওয়ার-এ ১০ মিনিট দিয়ে নামিয়ে নিন।

কুমড়ো ইলিশ

উপকরণ

১) কুমড়ো ২ কাপ ডুমো ডুমো করে কাটা
২) ইলিশ মাছ গাদা ও পেটি মিলিয়ে ৬টা
৩) সরষে বাটা ২ চামচ
৪) নুন, হলুদ ও লঙ্কারগুঁড়ো ১ চামচ করে।
৫) সরষের তেল
৬) কাঁচালঙ্কা চেরা ৬ / ৮টা
৭) জিরে শুকনো লঙ্কা ফোড়ন

প্রণালী

কড়াইতে জিরে শুকনো লঙ্কা ফোড়ন দিয়ে কুমড়ো অল্প ভেজে নিন। ইলিশ মাছ অল্প নুন ও হলুদ মাখিয়ে ভেজে নিন। এবার নুন, হলুদ কুমড়োতে লঙ্কাগুঁড়ো, কাঁচালঙ্কা দিয়ে ভালো করে নেড়ে অল্প জল দিয়ে দিন। এবার মাছগুলো দিয়ে দিন। অল্প সরষের তেল উপরে ছড়িয়ে নামিয়ে পরিবেশন করুন।

শাহি ইলিশ

উপকরণ

১) ইলিশ মাছের পেটি ও গাদা মিলিয়ে ৬ পিস
২) সাদা তিল বাটা হাফ কাপ
৩) রসুন বাটা ১ চামচ
৪) দই (টক) ১০০ গ্রাম
৫) সাদা তেল
৬) নুন ও চিনি
৭) কাঁচালঙ্কা কুচি

প্রণালী

ইলিশমাছ ধুয়ে সব উপকরণ মিশিয়ে একটা টিফিন বক্সে ঢুকিয়ে ফুটন্ত জলে ভাপিয়ে নিন। গরম গরম পরিবেশন করুন।

রুই-চিংড়ির যুগলবন্দি

উপকরণ

১) রুই মাছ গাদার পিস ৬টা
২) চিংড়ি মাছ খোসা ছাড়িয়ে বাটা ১ কাপ
৩) কাজু বাটা বড় দু-চামচ
৪) কাজু গোটা বড় দু-চামচ
৫) হলুদ, লঙ্কাগুঁড়ো, কাশ্মীরি মির্চ পরিমাণমতো
৬) নুন ও চিনি স্বাদমতো
৭) ছোট এলাচগুঁড়ো ১ চা চামচ
৮) ঘি ১ চা চামচ
৯) সরষের তেল

প্রণালী

মাছটা নুন ও হলুদ মাখিয়ে তেলে ভেজে নিন। এবার কড়াইতে তেল দিন। বাকি উপকরণগুলো সব দিয়ে কষে নিন। এবার চিংড়ি মাছ বাটা দিয়ে আর কিছুক্ষণ কষে ১ কাপ জল দিয়ে দিন। এবার রুই মাছ দিয়ে চাপা দিন আঁচ অল্প করে। নামানোর সময় ঘি ও ছোট এলাচ গুঁড়ো দিয়ে নামিয়ে নিন।

মোনাক্কা গলদা চিংড়ি

উপকরণ

১) মোনাক্কা (কিসমিস) বড় বাটা হাফ কাপ
২) চিংড়ি মাছ নুন দিয়ে ভেজে নিতে হবে
৩) নারকেল দুধ ১ কাপ
৪) কাশ্মীরি লঙ্কা
৫) ছোট এলাচগুঁড়ো
৬) ঘি
৭) নুন ও চিনি স্বাদমতো
৮) সরষের তেল
৯) তেজপাতা
১০) নারকেল বাটা
১১) নারকেল কোরা

প্রণালী

চিংড়ি মাছটা সরষের তেলে ভেজে তুলতে হবে। এবার ছোট এলাচগুঁড়ো, নুন, চিনি, নারকেল বাটা, কাশ্মীরি লঙ্কার গুঁড়ো দিয়ে কিছুক্ষণ নেড়ে নারকেল দুধ দিতে হবে। ফুটে উঠলে চিংড়ি মাছ দিয়ে আর কিছুক্ষণ ফুটিয়ে কিসমিস বা (মোনাক্কা) বাটা দিয়ে নামিয়ে নিতে হবে।

মোচা চিংড়ি ডাল

উপকরণ

১) মুগডাল শুকনো খোলায় ভেজে সেদ্ধ করা ২ কাপ
২) মোচা কুচিয়ে সেদ্ধ করা ২ কাপ হলুদ দিয়ে
৩) চিংড়ি মাছ ছাড়িয়ে ভেজে নিতে হবে
৪) সরষের তেল
৫) নুন পরিমাণমতো
৬) চিনি পরিমাণমতো
৭) হলুদ, লঙ্কার গুঁড়ো
৮) টমেটো পিউরি
৯) ঘি
১০) গরমমশলা গুঁড়ো ১ চামচ
১১) জিরে, তেজপাতা, হিং ফোড়নের জন্য

প্রণালী

কড়াইতে সরষের তেল দিয়ে ফোড়ন দিন। এবার মোচা জল থেকে তুলে হাতে চটকে নিন। মোচাটাকে একটু নেড়ে নিন তেলে, মুগডাল সিদ্ধ দিয়ে বাকি উপকরণ মেশান ঘি ছাড়া। নামানোর সময় ঘি দিয়ে পরিবেশন করুন।

নিরামিষ রাঁধলে চিংড়ি মাছ ছাড়াও রান্নাটা করা যায়।

আম পাবদার ঝাল

উপকরণ

১) কাঁচা আম ৬ চামচ বাটা
২) পাবদা মাছ ৪টা
৩) নুন, কাঁচালঙ্কা
৪) সরষের তেল
৫) টমেটো কুচি
৬) কালো জিরে
৭) হলুদ ও লঙ্কার গুঁড়ো
৮) বেগুন লম্বা করে কাটা

প্রণালী

মাছগুলো ভালো করে ভেজে তুলে নিন। এবার বাকি তেলে কালো জিরে দিয়ে বেগুন দিয়ে ও নুন দিয়ে চাপা দিন। টমেটো কুচি আম বাটা দিয়ে এবার হলুদ ও লঙ্কার গুঁড়ো দিয়ে নেড়ে জল দিয়ে চাপা দিন। বেগুন সেদ্ধ হলে সরষের তেল ছড়িয়ে পরিবেশন করুন।

কই ঝিঙে পোস্ত

উপকরণ

১) কাঁচালঙ্কা দিয়ে বাটা পোস্ত আধ কাপ
২) সরষের তেল পরিমাণমতো
৩) টমেটো পিউরি ২ বড় চামচ
৪) ঝিঙে ৩ কাপ কুচনো
৫) নুন, চিনি স্বাদমতো
৬) হলুদ গুঁড়ো পরিমাণমতো
৭) কাঁচালঙ্কা কুচি ২ চামচ
৮) কইমাছ ৬টা বড় সাইজের

প্রণালী

কইমাছকে ভালো করে ধুয়ে নিতে হবে। ঝিঙে ছোট ছোট করে কেটে নিন। পোস্ত, কাঁচালঙ্কা দিয়ে ভালো করে বেটে নিন। এবার কড়াইতে তেল দিন। মাছগুলো সামান্য হলুদ, নুন মাখিয়ে ভেজে তুলুন। তেলে ঝিঙে দিয়ে সামান্য নুন দিয়ে চাপা দিন। সামান্য চিনি দিন। ঝিঙে থেকে জল বেরোলে টমেটো পিউরি দিন। কাঁচালঙ্কা ও মাছ দিয়ে চাপা দিন। সরষের তেল ছড়িয়ে পরিবেশন করুন।

ফিশ নাগেজ

উপকরণ

১) সোয়াবিনের বড়ি সেদ্ধ করা ২ কাপ
২) রুইমাছের পেটি ৬টা
৩) টমেটো পিউরি হাফ কাপ
৪) আদাবাটা ১ চা-চামচ
৫) নুন ও চিনি
৬) জিরেগুঁড়ো ১ চা-চামচ
৭) হলুদ ও লঙ্কার গুঁড়ো ১ চা চামচ
৮) ঘি ১ চা-চামচ
৯) আলু সামান্য সেদ্ধ করে কাটা ১ কাপ
১০) সরষের তেল পরিমাণমতো

প্রণালী

কড়াইতে তেল দিন। তেল তৈরি হলে নুন ও হলুদ দিয়ে মাছটা ভেজে তুলুন। এবার বাকি তেলে নাগেজ (সোয়াবিনের বড়ি) দিয়ে ভেজে নিন। এবার বাকি মশলা দিয়ে নুন ও চিনি দিয়ে কষে নিন। জল দিন। এবার মাছগুলো দিয়ে দিন। মাখা-মাখা হলে ঘি আর গরমমশলা দিয়ে নামিয়ে নিন।

মৌরি মৌরলা

উপকরণ

১) মৌরলা মাছ ২ কাপ
২) মৌরি বাটা ২ চা চামচ
৩) হলুদ ও লঙ্কার গুঁড়ো
৪) কাঁচালঙ্কা কুচি ১ চামচ
৫) টমেটো পিউরি ২ চামচ (বড়)
৬) সরষের তেল
৭) নুন

প্রণালী

মাছটা ভালো করে সরষের তেলে ভেজে নিন। বাকি তেলে টমেটো পিউরি দিয়ে দিন। হলুদ ও লঙ্কাগুঁড়ো ও কাঁচালঙ্কা দিয়ে দিন। এবার জল দিন। ঝোল ফুটলে মাছটা দিয়ে দিন। নামানোর সময় মৌরিবাটা দিয়ে নামিয়ে নিন।

খিরা পাবদা

উপকরণ

১) পাবদা মাছ ৬টা
২) শশা গ্রেট করা ২ কাপ
৩) সরষের তেল
৪) টমেটোকুচি, লঙ্কাকুচি
৫) টক দই
৬) নুন

প্রণালী

মাছটা নুন ও হলুদ দিয়ে ভেজে নিতে হবে। এবার তেলে শশা ও সব উপকরণ দিয়ে ভেজে নিতে হবে। সামান্য জল দিয়ে মাছটা দিয়ে দিন। নামানোর সময় কাঁচা সরষের তেল উপরে ছড়িয়ে নামিয়ে নিন।

পার্শে মাছের ঝাল ফ্রেজি

উপকরণ

১) পার্শে মাছ ৬টা নুন ও হলুদ দিয়ে ভাজা
২) ক্যাপসিকাম কুচনো ১ কাপ
৩) টমেটো কুচনো হাফ কাপ
৪) নুন পরিমাণমতো
৫) কাঁচালঙ্কা ২ চামচ
৬) হলুদ ও লঙ্কাগুঁড়ো ১ চামচ করে
৭) ধনেপাতা হাফ কাপ কুচনো
৮) সরষের তেল

প্রণালী

মাছ ছাড়া তেলে বাকি উপকরণ দিয়ে কষে নিন। মাখা মাখা হবে এই ভেবে জল দিন। মাছ দিয়ে দিন। নামানোর সময় সরষের তেল ছড়িয়ে ও ধনেপাতা কুচি দিয়ে নামিয়ে নিন।

অমৃতসরি মাছ

উপকরণ

১) ১ কেজি ভেটকি মাছ ফিলে
২) সাদা তেল
৩) গোলমরিচ গুঁড়ো ১ চামচ
৪) পাতিলেবুর রস ৭৫ মিলিলিটার
৫) নুন পরিমাণমতো
৬) আদার রস ১ চামচ
৭) ব্যাসন ১০০ গ্রাম
৮) আদা বাটা ১ চামচ
৯) রসুন বাটা ২ চামচ
১০) জোয়ান ২ চামচ
১১) লঙ্কাগুঁড়ো ১ চামচ
১২) ২টো লাল লঙ্কা ঝিরি ঝিরি করে কাটা
১৩) সামান্য বেকিং পাউডার

প্রণালী

ভেটকিমাছ গোলমরিচ গুঁড়ো, লেবুর রস, নুন ও আদার রস দিয়ে ১ ঘণ্টা ভিজিয়ে রাখতে হবে। এবার ১টি পাত্রে ব্যাসন, আদা বাটা, রসুনবাটা, জোয়ান, লঙ্কাগুঁড়ো, লাল লঙ্কা কুচি, বেকিং পাউডার দিয়ে গোলা তৈরি করতে হবে। সাদা তেল তৈরি হলে ভেটকির ফিলেগুলো ব্যাটারে ডুবিয়ে তেলে ভেজে তুলতে হবে।

ফিশ ক্যালভিন

উপকরণ

১) মাছ ১ কেজি
২) ঢেঁড়স ১০০ গ্রাম টুকরো করা
৩) ভাজার জন্য তেল
৪) পেঁয়াজ ২টি কুঁচানো
৫) কাঁচালঙ্কা ২টি চেরা
৬) গোটা ধনে ১ টেবিল চামচ
৭) গোটা জিরে হাফ চা চামচ
৮) তেঁতুল অল্প জলে গোলা সামান্য
৯) গোলমরিচ ১২টা
১০) রসুন ৪ কোয়া
১১) লাল লঙ্কা ৬টা
১২) নারকেল কোরা অর্ধেকটি

প্রণালী

ধনে, জিরে, রসুন ও লঙ্কা, নারকেল দিয়ে একসঙ্গে মিশিয়ে বেটে নিন। নুন ও হলুদ মিশিয়ে মাছের টুকরোগুলো ১৫ মিনিট রেখে দিন। কড়াইতে তেল গরম হলে মাছ হালকা ভেজে তুলে নিন। পেঁয়াজকুচি দিয়ে নাড়তে থাকুন। ভাজা হলে মশলা বাটা দিয়ে আরও খানিকক্ষণ কষুন। নুন ও সামান্য জল দিয়ে ফুটতে দিন। ঢেঁড়স ও কাঁচালঙ্কা দিন। ৫ মিনিট বাদে মাছের টুকরোগুলো দিন। ঢেড়স সেদ্ধ হলে তেঁতুলগোলা জল মিশিয়ে নামিয়ে নিন। রুই ও ভেটকি দিয়ে রান্না করা যেতে পারে।

আমন্ড মৎস্য

উপকরণ

১) আড় মাছ ১০ টুকরো হলুদ দিয়ে ভাজা
২) আমন্ড বাটা হাফ কাপ
৩) পোস্ত বাটা হাফ কাপ
৪) কাঁচালঙ্কা বাটা ২ চামচ
৫) সাদা তিল বাটা ৪ চামচ
৬) নুন পরিমাণমতো
৭) চিনি পরিমাণমতো
৮) কাঁচালঙ্কা ৬টা চেরা
৯) শুকনো লঙ্কা ২টা
১০) টক দই ২০০ গ্রাম
১১) ধনেপাতা বাটা ৪ চামচ

প্রণালী

তেল দিন। সব উপকরণ একমাত্র পোস্ত ছাড়া দিয়ে কষে নিন। জল দিন। ফুটে উঠলে মাছ দিন। নামানোর সময় পোস্তবাটা কাঁচালঙ্কা সরষের তেল ছড়িয়ে নামান।

শোলমাছের কালিয়া

উপকরণ

১) শোল মাছ ছাড়ানো ডুমো ডুমো করে কাটা ৪ কাপ। হলুদ নুন দিয়ে ভেজে নিতে হবে
২) চন্দ্রমুখী আলু সেদ্ধ
৩) পেঁয়াজ বাটা ২ কাপ ভেজে নিন।
৪) আদাবাটা ৪ চামচ
৫) রসুন বাটা ২ চামচ
৬) টমেটো ৬ চামচ
৭) জিরেগুঁড়ো ২ চামচ
৮) তেজপাতা ৪টি
৯) হিং গুঁড়ো ২ চামচ
১০) গরমমশলা গুঁড়ো ১ চামচ
১১) নুন ও চিনি পরিমাণমতো

প্রণালী

সরষের তেল দিন। তেজপাতা গরমমশলা গুঁড়ো ফোড়ন দিয়ে সব উপকরণ দিয়ে কষে দিন। আলু মাছ দিয়ে আরও কিছুক্ষণ কষে দিন। অল্প জল দিয়ে গা মাখা করে নামান।

মটন কিমা বল

উপকরণ

১) মটন কিমা ২৫০ গ্রাম সেদ্ধ করা
২) পুদিনা পাতা, পার্সলে পাতা ও ধনে পাতা বাটা ২ চামচ করে
৩) ফ্রেশ ক্রিম হাফ কাপ
৪) কাঁচালঙ্কা বাটা ১ চামচ
৫) গোলমরিচ গুঁড়ো ১ চামচ
৬) সাদা তেল পরিমাণমতো
৭) কর্নফ্লাওয়ার হাফ কাপ
৮) গরমমশলা গুঁড়ো ১ চামচ
৯) নুন, চিনি পরিমাণমতো
১০) পেঁয়াজ, রসুন ও আদা বাটা ১ চামচ করে

প্রণালী

মিক্সিতে কিমাগুলো পেস্ট করে নিন। এবার পুদিনা, পার্সলে, ধনেপাতা ও ফ্রেশ ক্রিম ছাড়া বাকি সব উপকরণ একসাথে মিলিয়ে ছোট বল তৈরি করুন। এবার সাদা তেলে বলগুলো ভেজে তুলুন। বাকি তেলে সব পাতা বাটা ও ফ্রেশ ক্রিম, নুন, চিনি দিয়ে একটা গ্রেভি তৈরি করে বলগুলো গ্রেভির মধ্যে ছেড়ে দিন। ফুটে উঠলে নামিয়ে নিন।

মটন ক্যাপসিকাম

উপকরণ

১) মটন বোনলেস ২৫০ গ্রাম সেদ্ধ করা
২) ক্যাপসিকাম বাটা ও কুচনো হাফ কাপ
৩) ঘি, পেঁয়াজ, আদা, রসুন বাটা ২ চামচ করে
৪) টক দই ১০০ গ্রাম
৫) নুন ও চিনি স্বাদমতো
৬) এলাচ গুঁড়ো ১ চামচ
৭) সরষের তেল পরিমাণমতো
৮) কাশ্মীরি লঙ্কার গুঁড়ো ১ চামচ

প্রণালী

কড়াইতে তেল চাপানো ক্যাপসিকাম কুচনো সঙ্গে সব বাটা টক দই দিয়ে নেড়ে দিন। নুন ও চিনি স্বাদমতো দিন। এবার মাংসটা দিয়ে দিন। মাংস সিদ্ধ করে স্টকটা অবশ্যই আলাদা করে রাখবেন। এবার ভালো করে মাংসটা কষতে থাকুন। কষা হয়ে গেলে স্টকটা দিয়ে আর কিছুক্ষণ নেড়ে লঙ্কার গুঁড়ো এলাচ গুঁড়ো দিয়ে চাপা দিন। নামাবার সময় ঘি দিয়ে নামিয়ে নিন। ইচ্ছা করলে চন্দ্রমুখী আলুও ভেজে দিতে পারেন।

গোলাপ মটন

উপকরণ

১) বোনলেস মটন সেদ্ধ করে স্টকটা আলাদা করে রেখে দিন
২) গোলাপ পাপড়ি হাফ কাপ
৩) গোলাপ জল ২ চামচ
৪) কাজু ২ চামচ, পোস্ত ২ চামচ, সাদা তিল ২ চামচ, সাদা সরষে ২ চামচ সামান্য জায়ফল, টক দই দিয়ে বাটতে হবে।
৫) পেঁয়াজ ভাজা ১ কাপ
৬) নুন, চিনি স্বাদমতো
৭) কাশ্মিরী লঙ্কার গুঁড়ো ২ চামচ
৮) ঘি পরিমাণমতো
৯) সামান্য কিসমিস

প্রণালী

প্রথমে সব বাটা মশলা দিয়ে নুন, চিনি দিয়ে ভালো করে নেড়ে মাংসটা দিয়ে দিতে হবে। এবার কিসমিস দিয়ে গোলাপ পাপড়ি, গোলাপ জল দিয়ে আর কিছুক্ষণ কষে মটন স্টকটা দিয়ে দিতে হবে। এবার অল্প আঁচে রান্না করে ঝোল ঝোল নামিয়ে নিন।

বাঁধাকপি মটন

(উত্তমকুমারের ফেভারিট মটন)

উপকরণ

১) বাঁধাকপি কেটে গরম জলে ভাপিয়ে রাখুন
২) হাড়সুদ্ধ মাংস সামান্য সেদ্ধ করে স্টকটা রেখে দিন (৫০০ গ্রাম)
৩) হলুদ গুঁড়ো ২ চামচ, লঙ্কার গুঁড়ো ১ চামচ, গরমমশলা গুঁড়ো ১ চামচ, জিরে গুঁড়ো ২ চামচ, ধনেগুঁড়ো ১ চামচ, গোলমরিচ গুঁড়ো ১ চামচ
৪) টক দই ১৫০ গ্রাম
৫) টমেটো পিউরি বড় টমেটো
৬) নুন, চিনি পরিমাণমতো
৭) সরষের তেল
৮) পেঁয়াজ, আদা, রসুন পরিমাণমতো

প্রণালী

মাংসর সাথে সব মশলা ও টক দই সমেত একসাথে মেখে নিতে হবে। এবার সরষের তেলে তেজপাতা ফোড়ন দিয়ে মাংস ঢেলে অল্প আঁচে কষতে থাকুন। নুন ও চিনি পরিমাণমতো দিয়ে স্টকটা দিয়ে দিন। বাঁধাকপির পাতা দিন। ঝোলঝোল থাকতে থাকতে নামিয়ে নিন।

কলাপাতায় ভাপা কিমা

উপকরণ

১) মটন কিমা সেদ্ধ করা ২ কাপ
২) ছোলার ছাতু ২ চামচ
৩) নারকেল কোরা হাফ কাপ
৪) নুন ও চিনি
৫) পেঁয়াজ ও রসুন বাটা
৬) সরষে বাটা
৭) কাঁচালঙ্কা কুচি ২ চামচ
৮) সাদা সুতো ৬টা
৯) কলা পাতা ৬টা
১০) সরষের তেল

প্রণালী

কিমাটা সামান্য তেলে ভেজে তুলুন। এবার সব উপকরণগুলো মিশিয়ে নিন। মিশ্রণটা ৫টা ভাগে ভাগ করে নিন। একে এক ভাগ কলাপাতার ভিতরে দিয়ে সুতো দিয়ে বেঁধে তাওয়ায় তেল গরম করে এপিঠ-ওপিঠ ভেজে তুলুন যতক্ষণ না কলাপাতাটা কালো হচ্ছে।

চিকেন বা মটন বিরিয়ানি

উপকরণ

১) চিকেন বা মটন বিরিয়ানি ৫০০ গ্রাম
২) বাসমতি চাল ৫০০ গ্রাম
৩) পেঁয়াজ, রসুন বাটা ২ চামচ (বড়)
৪) আদা ১ চামচ
৫) দুধ হাফ কাপ
৬) জাফরান বা কেশর ১ চামচ
৭) ডালডা ১০০ গ্রাম
৮) সাদা তেল ১৫০ গ্রাম
৯) ঘি ২ চামচ
১০) জায়ফল, জয়িত্রী, সাদা জিরে, সাদা মরিচ একসাথে তাওয়ায় ভেজে গুঁড়ো করা
১১) মিঠা আতর ৪ ফোঁটা
১২) গোলাপ জল হাফ কাপ
১৩) কাশ্মীরি লঙ্কার গুঁড়ো ২ চামচ
১৪) টক দই ১০০ গ্রাম
১৫) খোয়া ক্ষীর ১ বড় চামচ
১৬) তেজপাতা

প্রণালী

ভাত, দুধ ও নুন দিয়ে সেদ্ধ করে নামিয়ে ঝরঝরে করে রাখুন। এবার কড়াইতে ডালডা ও তেল দিন। মাংসটা দিয়ে, পেঁয়াজ, রসুন, আদা বাটা, নুন, কাশ্মীরি লঙ্কার গুঁড়ো রান্না করুন। এবার তেল অন্য বাটিতে তুলে রাখুন। তেলে জায়ফল গুঁড়ো মেশান গোলাপ জলে আতর মেশান। সামান্য দুধে কেশর মেশান। বড় কড়াইতে তেজপাতা দিয়ে ঢেকে দিন অল্প ঘি ছড়িয়ে দিন এবার ১ পরত ভাত দিন। তার পর অর্ধেকটা মাংস দিন। কেশর, আতর, গোলাপ জল অর্ধেকটা মিশিয়ে দিন। আবার উপরে ভাত দিন। আবার মাংসটা দিন বাকি মিঠা আতর কেশর, জায়ফল, জাফরান দিয়ে বাকি ভাতটা চাপা দিয়ে দিন একটা মুখ বন্ধ করা ঢাকনায় চাপিয়ে আটা মাখা দিয়ে মুখ বন্ধ করে আঁচ কমিয়ে দিন। ১৫ মিনিট পরে খুলে দিন।

মটন বা চিকেন কাবাব

উপকরণ

১) মটন বা চিকেন ২৫০ গ্রাম কিমা সেদ্ধ করে পিষে নিতে হবে। পেঁয়াজ ১টা বড়, আদা একটু, রসুন ৬ কোয়া, ছোট এলাচ ৬টা একসাথে পিষে নিন
২) সাদা তেল, ঘি ১ চামচ (বড়)
৩) ছাতু ১ চামচ (বড়)
৪) নুন, চিনি, লঙ্কার গুঁড়ো পরিমাণমতো

প্রণালী

প্রথমে সাদা তেল দিয়ে সব উপকরণগুলো একসাথে ভেজে তুলে নিন। এবার আটার লেচির মতো কাবাব করে নিন এবার তাওয়ায় সামান্য ঘি দিয়ে কাবাবগুলো সেঁকে নিন। মাইক্রোওয়েভে গ্রিল ফাংশন-এ ৫ মিনিট কাবাব সেঁকে নিতে পারেন।

শাহি মটন

উপকরণ

১) বোনলেস মটন ৫০০ গ্রাম
২) কাজু, চারমগজ, সাদা তেল বাটা হাফ কাপ
৩) পেঁয়াজ, আদা বাটা বড় ২ চামচ
৪) সাদা তেল
৫) ফ্রেশ ক্রিম
৬) ঘি
৭) সাদা জিরে, সাদামরিচ, জায়ফল, জয়িত্রী, শুকনো লঙ্কা কুচিয়ে ৬ কাপ জলকে ৩ কাপ করতে হবে।
৮) কেশর দুধে ভেজানো
৯) নুন, চিনি
১০) টক দই ১০০ গ্রাম

প্রণালী

মাংসটা সামান্য সেদ্ধ করে দই ও নুন দিয়ে ৪ ঘণ্টা ভিজিয়ে রাখুন। এবার কড়াইতে ঘি আর তেল মিশিয়ে দিয়ে দিন। এবার মাংসটা দিয়ে দিন। এবার পেঁয়াজ, আদা, নুন, চিনি, দিয়ে ভালো করে নেড়ে নিন। এবার জল দিয়ে দিন। শুকনো শুকনো হলে কেশর দুধে গুলে নামিয়ে দিন।

মাটন ডাল

উপকরণ

১) বোনলেস মাটন সেদ্ধ করা ২ কাপ
২) ছোলার ডাল ২ কাপ সেদ্ধ করা
৩) আদা ২ ইঞ্চি
৪) পেঁয়াজ ২টি
৫) রসুন ৮ কোয়া
৬) তেজপাতা ৬টা
৭) বড় এলাচ ৪টি

(৩ থেকে ৭: একসঙ্গে সেদ্ধ করে বাটা)

৮) ঘি পরিমাণমতো
৯) সাদা তেল ২ চামচ
১০) গরমমশলা গুঁড়ো ৪ চামচ
১১) কাঁচালঙ্কা বাটা ২ চামচ
১২) নুন ও চিনি পরিমাণমতো

প্রণালী

তেলে মাটন ভেজে তুলুন। বাটা মশলা দিয়ে নাড়ুন। মাংস সেদ্ধ করার সময় বড় এলাচ দিয়ে দিন। এবার ডাল দিন। বাকি উপকরণ মেশা। ঘন ঘন হলে নামান। মাংসের স্টক অবশ্যই দেবেন।

মাটন কবিরাজি

উপকরণ

১) মাটন কিমা ৫০০ গ্রাম সেদ্ধ করা
২) ডিমের সাদা অংশ ৪ কাপ
৩) পেঁয়াজ বাটা ৪ চামচ
৪) আদাবাটা ৪ চামচ
৫) রসুন বাটা ৪ চামচ
৬) গোলমরিচ ২ চামচ
৭) পাউরুটি ২ পিস জলে দিয়ে তুলে চটকান
৮) গরমমশলা গুঁড়ো ২ চামচ
৯) নুন স্বাদমতো

প্রণালী

কিমা সেদ্ধ করুন। ডিম ছাড়া সব উপকরণ মিশিয়ে নিন। এবার চ্যাপ্টা আকারে ভেজে নেবেন উপরে ডিমের সাদা অংশ ছড়িয়ে দিয়ে। গরম গরম পরিবেশন করুন।

মটন লা জবাব

উপকরণ

১) মটন বোনলেস ৫০০ গ্রাম
২) কাঁচা আম বাটা ২ চামচ
৩) পেঁয়াজ ভাজা বাটা
৪) রসুন ভাজা বাটা
৫) মিষ্টি দই
৬) তেজপাতা
৭) কাশ্মীরি লাল লঙ্কা
৮) ঘি
৯) নুন ও চিনি

প্রণালী

মাংসটা সেদ্ধ করে স্টক ও মাংসটাকে আলাদা করে রাখতে হবে। এবার কড়াইতে ঘি দিয়ে প্রথমেই মাংসটা ভাজা ভাজা করতে হবে। মিষ্টি দই, কাশ্মীরি লঙ্কা ও তেজপাতা দিয়ে বাটা মশলা দিয়ে আর কিছুক্ষণ নেড়ে মটন স্টকটা দিয়ে দিতে হবে। এবার কাঁচা আম বাটা মিশিয়ে ভাজা পেঁয়াজ, রসুন দিয়ে ঘন ঘন করে নামাতে হবে।

চিকেন চেকনাই

উপকরণ

১) চিকেন লেগ-পিস ১০টা অল্প সেদ্ধ করা
২) লাল, হলুদ ও সবুজ ক্যাপসিকাম কুচনো
৩) টক দই ২০০ গ্রাম
৪) নুন, চিনি স্বাদমতো
৫) বেবি কর্ন ছোট ছোট করে কাটা
৬) সাদা তেল
৭) এলাচ গুঁড়ো (ছোট) ১ চামচ
৮) ঘি ১ চামচ
৯) পেঁয়াজ ও রসুন বাটা ২ চামচ
১০) চিকেন স্টকটা আলাদা করে রাখতে হবে
১১) গোলমরিচ গুঁড়ো ১ চামচ

প্রণালী

সেদ্ধ চিকেনগুলো স্টক থেকে তুলে টক দই, নুন, চিনি, পেঁয়াজ ও রসুন বাটা দিয়ে মাখতে হবে। এবার কড়াইতে তেল দিয়ে চিকেনটা ভেজে নিতে হবে। চিকেন স্টক দিয়ে দিতে হবে। নামানোর সময় ক্যাপসিকাম কুচি ছড়িয়ে আর কিছুক্ষণ রান্না করে ঘি, এলাচ ও গোলমরিচ গুঁড়ো ছড়িয়ে নাড়িয়ে নিতে হবে।

চিকন চিকেন

উপকরণ

১) চিকেন ব্রেস্ট পিসকে হাড় বাদ দিয়ে সরু সরু করে কেটে নিয়ে সামান্য গরম জলে ধুয়ে নিন (৫০০ গ্রাম)
২) ডিম ২টা
৩) লেবুর রস ২ চামচ
৪) গোলমরিচ ১ চামচ
৫) কর্নফ্লাওয়ার
৬) ডার্ক সোয়া সস
৭) নুন ও চিনি সামান্য
৮) কাঁচালঙ্কা কুচি ১ চামচ
৯) পেঁয়াজ কুচি হাফ কাপ
১০) সাদা তেল

প্রণালী

পেঁয়াজ কুচি ও কাঁচালঙ্কা কুচি ছাড়া সব উপকরণগুলো মাংসের সাথে মেখে অন্ততপক্ষে ৬ ঘণ্টা ভিজিয়ে রাখতে হবে। এবার সাদা তেলে ভেজে নিতে হবে। বাকি তেলে কাঁচালঙ্কা ও পেঁয়াজ কুচি ভেজে মাংসটা দিয়ে ভালো করে নেড়েচেড়ে সসের সঙ্গে পরিবেশন করুন।

চুয়ানন চিকেন

উপকরণ

১) চিকেন (বোনলেস) ৫০০ গ্রাম
২) চুয়ানন (চাইনিজ বাঁধাকপি) অথবা
বাঁধাকপি বড় বড় করে কাটা ২ কাপ
৩) ডিম ২টা
৪) নুন পরিমাণমতো
৫) আদা ও রসুন ২ চামচ করে বাটা
৬) চিলি সস ২ চামচ
৭) উস্টার সস ২ চামচ
৮) পেঁয়াজ পাতা
৯) কর্নফ্লাওয়ার

প্রণালী

চিকেনটা গরম জলে ধুয়ে ডিম, নুন ও কর্নফ্লাওয়ার দিয়ে ডিপ ফ্রাই করে তুলে নিতে হবে। এবার বাকি তেলে পেঁয়াজপাতা দিয়ে সব উপকরণ দিয়ে আর ৫ মিনিট রান্না করতে হবে। তারপর চিকেনের ভাজা টুকরোগুলোকে মিশিয়ে সামান্য চিলি সস দিয়ে জলে অল্প কর্ন ফ্লাওয়ার গুলে দিতে হবে শুকনো শুকনো করে নামাতে হবে।

পালং ক্যাপসি চিকেন

উপকরণ

১) পালং পাতা কেটে নিতে হবে দু কাপ
২) ক্যাপসিকাম কুচনো ১ কাপ
৩) মুরগির মাংস লেগপিস ৬টা সেদ্ধ করা জলসমেত
৪) জায়ফল গুঁড়ো ১ চামচ
৫) পেঁয়াজ ২ চামচ বাটা
৬) আদা ১ চামচ বাটা
৭) রসুন ২ চামচ বাটা
৮) কাঁচালঙ্কা কুচি ২ চামচ বাটা
৯) দই ২ চামচ (টক)
১০) নুন ও চিনি পরিমাণমতো

প্রণালী

ঘি/তেল দিন। মাংসের পিস ভেজে নিন। বাকি তেলে সব উপকরণ দিয়ে কষে নিন। এবার স্টক ও পালং পাতা বাটা দিয়ে আরও কিছুক্ষণ রান্না করুন। ঘন ঘন হলে নামান।

চিকেন পকোড়া

উপকরণ

১) চিকেন বোনলেস ২৫০ গ্রাম
২) কর্ন ফ্লাওয়ার পরিমাণমতো
৩) লঙ্কার গুঁড়ো ১ চা চামচ
৪) সোয়া সস ১ চামচ
৫) ব্যাসন ২ বড় টেবিল চামচ
৬) নুন, আজিনামোতো সামান্য
৭) ডিম ২টা
৮) লেবুর রস ২ চামচ
৯) গোলমরিচ গুঁড়ো ১ চামচ
১০) সাদা তেল পরিমাণমতো
১১) পেঁয়াজ, আদা ও রসুন বাটা ১ চামচ করে

প্রণালী

চিকেন, গোলমরিচ ও লেবুর রস দিয়ে আধ ঘণ্টা ভিজিয়ে রাখুন। লঙ্কাগুঁড়ো, কর্নফ্লাওয়ার মেশান। এবার বাটা মশলা চিকেনের সাথে মেশান। অন্যপাত্রে ব্যাসন, আজিনামোতো, ডিম, নুন ভালো করে গুলে ব্যাটার তৈরি করুন। এবার সাদা তেল গরম হতে দিন। ব্যাটারে ডুবিয়ে চিকেন একটা একটা করে ভেজে তুলুন।

স্যালাড ও সসের সাথে পরিবেশন করুন।

বাহারি মুর্গ

উপকরণ

১) চিকেন (বোনলেস) ৭৫০ গ্রাম সেদ্ধ করে মিক্সিতে পিষে নিতে হবে
২) দুধে ৪টি স্লাইস পাউরুটি ভিজিয়ে রাখতে হবে
৩) ছাতু ৪ চা চামচ, কর্নফ্লাওয়ার ২ চামচ, পেঁয়াজ ও লঙ্কাকুচি
৪) নুন, চিনি পরিমাণমতো
৫) পেঁয়াজ কুচি আধ কাপ
৬) পেঁয়াজ আদা রসুন বাটা ৩ চামচ
৭) ঘি হাফ চামচ

প্রণালী

পাউরুটি পেঁয়াজকুচি ও লঙ্কাকুচি নুন দিয়ে মেখে চিকেন কিমা মিশিয়ে পেঁয়াজ, আদা ও রসুন বাটা দিয়ে ভালো করে কড়াইতে তেল দিয়ে ভেজে নিতে হবে। এবার একটা চেটালো থালায় সামান্য ঘি বা সাদা তেল মাখিয়ে মণ্ডটা ঢেলে দিতে হবে। ছুরি দিয়ে ধোকার মতো বরফি আকারে কেটে নিতে হবে। একটা অন্য পাত্রে ডিম, কর্নফ্লাওয়ার গুলে রাখতে হবে। বরফিগুলো ডিমে ডুবিয়ে বিস্কুটের গুঁড়ো মাখিয়ে ডিপ ফ্রাই করতে হবে।

চিকেন ভিন্দালু

উপকরণ

১) ১ কেজি চিকেন বড় বড় পিস কাটা
২) ১ কাপ ভিনিগার
৩) ৪টে শুকনো লঙ্কা
৪) ৪টে রসুন কোয়া
৫) ১ ইঞ্চি আদা
৬) ৪টে লবঙ্গ
৭) ২টা দারচিনি
৮) নুন স্বাদমতো
৯) সরষের তেল
১০) চিংড়ি মাছ খোসা ছাড়িয়ে বাটা ১ কাপ

প্রণালী

চিকেন গরম জলে ধুয়ে সরষের তেল ছাড়া বাকি সব উপকরণ ভিনিগার দিয়ে বেটে ফেলতে হবে। এবার মাংসে মাখিয়ে অন্ততপক্ষে ২ দিন ফ্রিজে রাখতে হবে। এবার কড়াইতে তেল দিয়ে মাংস ছেড়ে দিতে হবে। মিনিট ১০ রান্না করলেই তৈরি চিকেন ভিন্দালু।

স্পিনাচ চিকেন

উপকরণ

১) চিকেন ৫০০ গ্রাম কেটে গরম জলে ধুয়ে ভিনিগারে ভিজিয়ে রাখতে হবে
২) পালংশাক বড় বড় করে কাটতে হবে পাতাসমেত ২৫০ গ্রাম
৩) আদা ২ ইঞ্চি কুচনো পেঁয়াজ ১টা (বড়) কুচি, রসুন ৪ কোয়া কুচনো
৪) হলুদ ও লঙ্কার গুঁড়ো ১ চামচ করে
৫) নুন ও চিনি
৬) সরষের তেল
৭) টক দই ১০০ গ্রাম

প্রণালী

কড়াইতে তেল দিন। চিকেনের টুকরোগুলো ভেজে পেঁয়াজ, আদা রসুন, বাকি মশলা, নুন ও চিনি দিয়ে ভালো করে কষে পালংশাক দিয়ে দিন। এবার দই দিয়ে একটু আঁচ কমিয়ে চাপা দিয়ে দিন। কুকারের একটা সিটিতে নামান। ইচ্ছে করলে গরমমশলা গুঁড়ো দিতে পারেন।

চিকেন টিকিয়া

উপকরণ

১) চিকেন কিমা ২৫০ গ্রাম
২) আলুসেদ্ধ হাফ কাপ
৩) নুন ও চিনি স্বাদমতো
৪) ছাতু ২ চামচ
৫) আদা, রসুন, পেঁয়াজবাটা ১ চামচ করে
৬) কাঁচালঙ্কা কুচি ১ চামচ
৭) গরমমশলা গুঁড়ো ১ চামচ
৮) ঘি

প্রণালী

চিকেনের কিমাটা মিক্সিতে ভালো করে পিষে নিন। এবার সব উপকরণ মিশিয়ে সাদা তেলে কিছুক্ষণ ভেজে নিন। নামানোর সময় গরমমশলা গুঁড়ো দিন। হাতে ছোট ছোট আকারে টিকিয়া গড়ে নিন। তাওয়ায় সামান্য ঘি দিয়ে এপিঠ-ওপিঠ করে সেঁকে নিন।

চিকেন সুইট্ অ্যান্ড সাওয়ার

উপকরণ

১) চিকেন ৫০০ গ্রাম ধুয়ে ভিনিগারে (হাফ কাপ) ভিজিয়ে রাখতে হবে
২) নুন পরিমাণমতো
৩) কাঁচালঙ্কা কুচি
৪) কাশ্মীরি লঙ্কা ১ চামচ
৫) টমেটো সস হাফ কাপ
৬) চিলি সস বড় চামচের ১ চামচ
৭) পেঁয়াজ ও আদাবাটা ২ চামচ করে ও রসুন বাটা ১ চামচ করে
৮) কর্নফ্লাওয়ার পরিমাণমতো
৯) সাদা তেল
১০) লেবুর রস

প্রণালী

চিকেনগুলোকে পেঁয়াজ, আদা, রসুন, কর্নফ্লাওয়ার, নুন ও সামান্য চিনি দিয়ে একটা একটা করে সাদা তেলে ভেজে তুলুন। এবার বাকি তেলে সস দিয়ে চিকেনগুলো দিয়ে দিন। সামান্য লেবুর রস দিন। কর্নফ্লাওয়ার অল্প জলে গুলে দিয়ে দিন।

পরবল চিকেন

উপকরণ

১) পটল গোটা ১০টা
২) চিকেন ৫০০ গ্রাম
৩) টক দই ২০০ গ্রাম
৪) পেঁয়াজ, রসুন বেজে বাটা হাফ কাপ
৫) সাদা তেল
৬) তিল বাটা হাফ কাপ
৭) ছোট এলাচ ৫/৬টা
৮) নুন ও চিনি পরিমাণমতো
৯) চিলি সস ২ চামচ

প্রণালী

পটলকে খোসা ছাড়িয়ে ছুরি দিয়ে অল্প করে কেটে নিতে হবে এবার সাদা তেলে পটল ভাল করে ভেজে নিতে হবে। মাংসটা দই, চিলি সস দিয়ে ঘণ্টা ২ ম্যারিনেট করতে হবে। এবার বাকি তেলে চিকেন দিয়ে পটল দিয়ে বাটা মশলা দিয়ে নুন চিনি দিয়ে ওপরে এলাচগুঁড়ো ছড়িয়ে দিতে হবে।

সেজওয়ান চিকেন

উপকরণ

১) তিল তেল ১ চামচ
২) টমেটো কেচাপ
৩) সোয়া সস, উস্টার সস
৪) মধু
৫) রাইস ভিনিগার
৬) আদা ও রসুন কুচি
৭) চিকেন ৫০০ গ্রাম
৮) পেঁয়াজপাতা কুচনো ২ চামচ
৯) রেড ওয়াইন
১০) সেজওয়ান সস
১১) শুকনো লঙ্কা ও রসুন ভিনিগারে ভেজানো
১২) নুন
১৩) গোলমরিচ গুঁড়ো
১৪) সেলারি পাতা বাটা

প্রণালী

তিল তেলে চিকেনগুলো ভিজে নিতে হবে। এবার টমেটো কেচাপ, মধু, উস্টার সস, রাইস ভিনিগার, আদাকুচি, পেঁয়াজপাতা কুচি দিয়ে আর খানিকক্ষণ নাড়তে হবে। এবার ডার্ক সোয়া সস দিতে হবে। গোলমরিচ গুঁড়ো দিতে হবে। সেলারি পাতা বাটা দিয়ে কুকারে সামান্য জল দিয়ে ২টো সিটিতে নামাতে হবে।

কাঁকড়া কালিয়া

উপকরণ

১) কাঁকড়া ছাড়ানো ৬টা
২) পেঁয়াজ ২ চামচ, আদা ও রসুন ১ চামচ বাটা।
৩) সরষের তেল পরিমাণমতো
৪) জিরে, লঙ্কা, হলুদ বাটা ১ চামচ
৫) নুন, চিনি পরিমাণমতো
৬) সামান্য গরমমশলা গুঁড়ো
৭) টমেটো পিউরি ২ চামচ বড়

প্রণালী

কাঁকড়াগুলো নুন ও হলুদ মাখিয়ে ভেজে তুলুন। এবার বাকি তেলে আলু ভেজে বাটা মশলাগুলো নুন ও চিনি সমেত টমেটো পিউরি দিয়ে কষে কাঁকড়াগুলো দিয়ে দিন। সামান্য জল দিন এবার মাখা মাখা হলে উপর থেকে গরম মশলা ছড়িয়ে নামিয়ে নিন।

কাঁকড়া মাশরুম দম

উপকরণ

১) কাঁকড়া ৫টা ছাড়িয়ে ধুয়ে নিতে হবে
২) বটম মাশরুম হাফ কাপ মাঝখান দিয়ে কেটে দিতে হবে
৩) ১০০ গ্রাম টক দই হাফ কাপ করে
৪) নুন ও চিনি স্বাদমতো
৫) টমেটো পিউরি হাফ কাপ
৬) গরমমশলা গুঁড়ো
৭) সাদা তেল।
৮) কাঁচালঙ্কা বাটা ১ চামচ

প্রণালী

কাঁকড়াগুলো অল্প নুন মাখিয়ে ভেজে তুলুন। এবার বাকি তেলে মাশরুম গরম জলে ধুয়ে ভেজে বাকি উপকরণগুলো সব দিয়ে কষে নিন। এবার সামান্য জল দিয়ে কাঁকড়া দিয়ে চাপা দিয়ে দিন। শুকনো শুকনো হলে নামিয়ে পরিবেশন করুন।

ডিম পোস্ত

উপকরণ

১) ৬টা ডিম সেদ্ধ করে কুসুম ও সাদা অংশ আলাদা করে দিন। সাদা অংশ ও হলুদ অংশ গ্রেট করে নিন
২) সরষের তেল
৩) কাঁচালঙ্কা চেরা ৬টা
৪) পোস্ত কাঁচালঙ্কা (৪টা) দিয়ে বাটা হাফ কাপ
৫) নুন পরিমাণমতো
৬) সামান্য হলুদ ও হলুদ গুঁড়ো

প্রণালী

কড়াইতে সরষের তেল গরম হলে গ্রেট করা ডিম দিয়ে সামান্য কষে হলুদগুঁড়ো ও লঙ্কার গুঁড়ো দিন। কাঁচালঙ্কা দিয়ে পোস্তবাটা দিন। স্বাদমতো নুন দিন। উপরে সরষের তেল ছড়িয়ে শুকনো শুকনো করে নামিয়ে নিন।

ডিম জোয়ান

উপকরণ

১) ডিম ৬টা সেদ্ধ করা
২) জোয়ান ২ চামচ
৩) হলুদ ও লঙ্কার গুঁড়ো
৪) টমেটো পিউরি হাফ কাপ
৫) নুন চিনি পরিমাণমতো
৬) সরষের তেল
৭) রসুন বাটা ১ চামচ

প্রণালী

কড়াইতে তেল দিন ডিমগুলো ভেজে তলুন। ডিমের গা'গুলো একটু ছুরি দিয়ে কেটে দিন। এবার বাকি তেলে জোয়ান দিন পুরোটা। টমেটো পিউরি, রসুন বাটা, নুন, চিনি, লঙ্কা ও হলুদ গুঁড়ো দিয়ে কষে ডিমগুলো দিয়ে দিন। সামান্য জল দিয়ে চাপা দিন আঁচ কম করে গা মাখা গা মাখা করে নামিয়ে নিন।

ডিম বেগুন

উপকরণ

১) বেগুন সেদ্ধ ২টো খোসা ছাড়িয়ে মিক্সিতে মিশিয়ে নিতে হবে।
২) ৪টে ডিম সেদ্ধ করে হাত দিয়ে চটকে নিতে হবে।
৩) রসুন বাটা ১ চামচ
৪) কাঁচালঙ্কাকুচি ১ চামচ
৫) নুন চিনি পরিমাণমতো
৬) টমেটো পিউরি হাফ কাপ

প্রণালী

এবার কড়াইতে তেল দিতে হবে। রসুন বাটা, লঙ্কা কুচি ১ চামচ, আদা ও জিরে বাটা ১ চামচ, লঙ্কাগুঁড়ো ১ চামচ, নুন চিনি আন্দাজমতো, টমেটো পিউরি হাফ কাপ দিয়ে ডিম আর বেগুন মেশাতে হবে। এবং শুকনো শুকনো করে নামাতে হবে।

ডিমের ধোকা

উপকরণ

১) ডিম সেদ্ধ ৪টি
২) মটরডাল বাটা ২ কাপ
৩) নুন ও চিনি স্বাদমতো
৪) হলুদ ও লঙ্কাগুঁড়ো ১ চামচ করে
৫) টমেটো পিউরি ১টা
৬) আদাবাটা ১ চামচ
৭) হিং সামান্য
৮) জিরে ও তেজপাতা ফোড়ন
৯) সামান্য রসুন বাটা
১০) দই (টক) ৫০ গ্রাম
১১) ১০ টুকরো আলু সেদ্ধ করা
১২) ঘি

প্রণালী

ডিম গ্রেট করে মটর ডালের সাথে মেখে নিন। এতে আদা বাটা, নুন, চিনি, হলুদ ও লঙ্কাগুঁড়ো ও সামান্য হিং দিয়ে ভালো করে ফেটিয়ে নিন। এবার কড়াইতে তেল দিয়ে মিশ্রণটা ভেজে একটা চেটালো থালায় ঢেলে ঠাণ্ডা করে ধোকার আকারে কেটে নিন। এবার সরষের তেলে ১টা ১টা করে ধোকা ভেজে রাখুন। বাকি তেলে জিরে তেজপাতা, হিং দিয়ে আলু দিয়ে কিছুক্ষণ ভেজে সব মশলা দিয়ে দিন। দই ও নুন, চিনি দিয়ে কিছুক্ষণ কষে জল দিন। ফুটলে ধোকা দিয়ে নামিয়ে নিন। ঘি ছড়িয়ে পরিবেশন করুন।

ডিম সবজি

উপকরণ

১) ডিম সেদ্ধ করে কেটে নিতে হবে।
২) গাজর (সেদ্ধ) লম্বা করে কাটা
৩) বিনস সেদ্ধ দু কাপ
৪) ফুলকপি সেদ্ধ ১টা
৫) আলু সেদ্ধ ১কাপ
৬) জিরে গুঁড়ো ২ চামচ
৭) ধনে গুঁড়ো ৪ চামচ
৮) গোবিন্দভোগ চাল ভেজানো একসঙ্গে সেদ্ধ করে বাটা
৯) মসুর ডাল
১০) মাখন ৪ চামচ
১১) নুন ও চিনি পরিমাণমতো
১২) হলুদগুঁড়ো ১ চামচ
১৩) কাঁচালঙ্কা ২ চামচ

প্রণালী

মাখন দিয়ে সব সবজিগুলো ভাজুন। এবার চাল ডাল বাটা দিয়ে দিন। মেশান। চিনি নুন, কাঁচালঙ্কা কুচি মেশান। নামানোর সময় ডিমসেদ্ধ দিয়ে নামান। এটা একটা সেল্ফ ডিশ।

মিক্সড নন-ভেজ পাস্তা

উপকরণ

১) চিংড়ি মাছ ছাড়ানো হাফ কাপ
২) চিকেন (বোনলেস) সেদ্ধ করা হাফ কাপ
৩) সেদ্ধ ডিম টুকরো করা ১ কাপ
৪) পাস্তা ২৫০ গ্রাম
৫) পেঁয়াজ হাফ কাপ কুচনো
৬) রসুন ৪ কোয়া কুচনো
৭) পাস্তা সস হাফ কাপ
৮) নুন স্বাদমতো
৯) সাদা তেল / অলিভ অয়েল পরিমাণমতো
১০) কাঁচালঙ্কা কুচি ২ টেবিল চামচ

প্রণালী

পাস্তাটা নুন দিয়ে সেদ্ধ করে ছেঁকে নিন। কড়াইতে তেল দিন। পাস্তা সস ছাড়া সব উপকরণগুলো ভেজে নিন। এবার পাস্তা দিয়ে আর কিছুক্ষণ নাড়ুন, নামানোর সময় পাস্তা সস দিয়ে পরিবেশন করুন।

নন-ভেজ স্যান্ডউইচ

উপকরণ

১) ব্রাউন ব্রেড বড় সাইজের ২টি
২) ডিমসেদ্ধ ২টা স্লাইস করে কাটা
৩) চিকেন (বোনলেস) মিক্সিতে গ্রেট করা
৪) পেঁয়াজ ও লঙ্কা কুচি
৫) টমেটো সস ২ চামচ
৬) মাখন ২ চামচ (বড়)
৭) লেটুস পাতা ৪ টুকরো
৮) নুন স্বাদমতো

প্রণালী

পাউরুটিটা কোনাকুনিভাবে কেটে নিন। এবার মাখন লাগান। সামান্য মাখনে চিকেন, পেঁয়াজ নুন দিয়ে ভেজে নিন। কাঁচালঙ্কা মেশান। এবার টমেটো সস দিয়ে দিন। মাখনের উপর লেটুস পাতা দিয়ে মিশ্রণটার ১ ভাগ ভরে দিন। এবার আরেক পিস পাউরুটি উপরে চাপিয়ে দিন। তাওয়ায় অথবা মাইক্রোয়েভে সেঁকে নিন (গ্রিল ফাংশানে প্রথমে ২ মিনিট, আবার উল্টো করে ২ মিনিট সেঁকে নিন)।

মাশরুম স্যান্ডউইচ

উপকরণ

১) মাশরুম হাফ কাপ কুচি কুচি করে কাটা
২) আলুসেদ্ধ হাফ কাপ
৩) নুন ও চিনি স্বাদমতো
৪) গোলমরিচ গুঁড়ো ১ চামচ
৫) লেবুর রস ১ চামচ
৬) ব্রাউন ব্রেড ৬ পিস
৭) সাদা তেল ৪ চামচ
৮) মাখন ১ চামচ
৯) কাঁচালঙ্কা কুচি ১ চামচ
১০) টমেটো সস ২ চামচ

প্রণালী

মাশরুম প্রথমেই কুচি করে গরমজলে ভিজিয়ে রাখুন। এবার ব্রেডগুলো প্রথমে তাওয়ায় সেঁকে নিন সামান্য। আলুসেদ্ধর সঙ্গে নুন, চিনি, গোলমরিচ গুঁড়ো, মাখন, কাঁচালঙ্কা কুচি, মাশরুম সব একসঙ্গে ভালো করে মেখে নিন। সেটা ৩ ভাগে ভাগ করুন। এবার একটা ব্রেডে টমেটো সস দিন। আলুসেদ্ধ দিয়ে আর একটা ব্রেড চেপে দিন। সাদা তেলে ভেজে তুলুন।

ফ্রেঞ্চ স্টিক

উপকরণ

১) কিমা ৫০০ গ্রাম
২) ডিম ৪টে
৩) আদা ও রসুন
৪) পেঁয়াজবাটা ২০০ গ্রাম
৫) বিস্কুটের গুঁড়ো ৪০০ গ্রাম
৬) সামান্য গরম মশলা
৭) পাউরুটি ছোট ২টি
৮) দুধ ৪ চামচ
৯) ঘি ২০০ গ্রাম
১০) কয়েকটা বেশ সরু সরু কাঠি

প্রণালী

মাংসের কিমা পরিষ্কার করে ধুয়ে সেদ্ধ করে নিতে হবে। ফ্রাই প্যানে নুন, অল্প চিনি, সব মশলা ঘি দিয়ে ভেজে নিতে হবে। সেদ্ধ কিমাও দিয়ে দিতে হবে। বেশ মাখা মাখা হলে নামিয়ে নিতে হবে। তারপর পাঁউরুটি দুধে ভিজিয়ে কিমা ঠাণ্ডা হলে মিশিয়ে কাঁটা দিয়ে চটকে নিতে হবে। এই মিশ্রণটা অল্প করে নিয়ে সরু সরু লম্বা করে গড়ে নিতে হবে। একটা করে কাঠি মাথার দিকে গুঁজে দিতে হবে। এরপর ডিম ও বিস্কুটের গুঁড়ো মাখিয়ে ঘিয়ে ভেজে শুকনো আলুভাজার সঙ্গে পরিবেশন করতে হবে।

চিজ প্যান কেক

উপকরণ

১) চিজ গ্রেট করা হাফ কাপ
২) ক্যাপসিকাম কুচি হাফ কাপ
৩) মুরগির মাংস সেদ্ধ করা জলসমেত ছাড়ানো
৪) টমেটো কুচি হাফ কাপ
৫) ময়দা ২ কাপ
৬) কর্নফ্লাওয়ার হাফ কাপ
৭) ডিম ৪টি
৮) পেঁয়াজ কুচি হাফ কাপ
৯) নুন পরিমাণমতো
১০) চিনি পরিমাণমতো
১১) কাঁচালঙ্কা কুচি ২ চামচ
১২) সোয়া সস ২ চামচ
১৩) স্যালাড (শসা, পেঁয়াজ, লেবুর রস)

প্রণালী

সব একসঙ্গে মিশিয়ে দিন। মুরগির স্টক ডিম দিয়ে গুলে দিন। নন, ফ্রাইংপ্যান তেল তৈরি হলে গোল হাতায় দিয়ে ভেজে তুলুন প্যান কেক। মাশরুমও দিতে পারেন কুচিয়ে। সস/স্যালাডের সঙ্গে পরিবেশন করুন।

ক্যারট প্যান কেক

উপকরণ

১) গাজর তিনটে গ্রেট করা
২) ময়দা পরিমাণমতো
৩) লেবু পাতা কুচি করা ২ চামচ
৪) ডিম ৪টে
৫) পেঁয়াজ কুচি হাফ কাপ
৬) সুজি সামান্য
৭) টমেটো সস ও নুন পরিমাণমতো
৮) দুধ পরিমাণমতো

প্রণালী

সব উপকরণ একসঙ্গে মেশান। সাদা তেল ননস্টিক ফ্রাইং প্যানে দিন। গোল হাতা দিয়ে দু'হাতা করে প্যানে ছড়িয়ে দিন। এপিঠ ওপিঠ করে ভেজে নিন। সসের সঙ্গে পরিবেশন করুন।

মিক্সড ফ্রুট সুইট সাওয়ার

(চাটনি)

উপকরণ

১) আলুবোখরা ২ কাপ কুচি
২) আমসত্ত্ব ১ কাপ কুচি
৩) খেজুরের দানা ছাড়া ছোট ছোট করা
৪) টমেটো কুচি
৫) কাজু, কিসমিস
৬) চিনি পরিমাণমতো
৭) লেবুর রস ২ চামচ
৮) ঘি ২ চামচ
৯) কালোজিরে ফোড়নের জন্য
১০) কাঁচালঙ্কা কুচি ২টো

প্রণালী

কড়াইতে ঘি দিয়ে কালোজিরে ফোড়ন দিয়ে লেবুর রস ও চিনি ছাড়া সব উপকরণ অল্প আঁচ করে নেড়ে নিন। এবার চিনি দিয়ে দিন। সামান্য জল দিন। নামিয়ে ঠাণ্ডা করে লেবুর রস মিশিয়ে উপর থেকে কাজুবাদাম কিসমিস দিয়ে পরিবেশন করুন।

লাউ আমাদার চাটনি

উপকরণ

১) লাউ কুচি ২ কাপ
২) আমাদা ২ চামচ বাটা
৩) তেঁতুলের ক্বাথ বড় ২ চামচ
৪) চিনি পরিমাণমতো
৫) সরষের তেল ১ চামচ
৬) শুকনো লঙ্কা ২টো
৭) সামান্য নুন
৮) সামান্য ময়দা

প্রণালী

কড়াইতে সরষের তেল দিন। শুকনো লঙ্কা ফোড়ন দিয়ে লাউটা দিয়ে দিন। সামান্য নুন দিয়ে লাউটা সেদ্ধ করে নিন। এবার তেঁতুলের ক্বাথ, চিনি মিশিয়ে সামান্য জল দিয়ে ঘন ঘন হয়ে এলে আমাদা বাটা দিয়ে, সামান্য ময়দা ছাড়িয়ে নামিয়ে নিন।

জলপাই চাটনি

উপকরণ

১) জলপাই সেদ্ধ করা ১ কাপ, ২) আলু সেদ্ধ আধ কাপ, ৩) চিনি, নুন পরিমাণমতো, ৪) সরষে ফোড়ন, ৫) শুকনো লঙ্কা ৬) কিসমিস, ৭) ঘি, ৮) নারকেল কোরা ২ বড় চামচ।

প্রণালী

তেল দিন। ফোড়ন দিয়ে জলপাই দিন। আলুসেদ্ধ মেশান। চিনি, নুন, কিসমিস, নারকেল কোরা দিয়ে ঘন ঘন নামান।

গুড়-চালতা

উপকরণ

১) গুড় ৫০০ গ্রাম, ২) চালতা থেঁতো করা ২ কাপ, ৩) নুন, ৪) লেবুর রস, ৫) চিনি ৬ চামচ, ৬) মৌরি, জোয়ান, সরষে, রাঁধুনি ১ চামচ করে ও শুকনো লঙ্কা একসঙ্গে ভেজে গুঁড়ো করা, ৭) সরষের তেল।

প্রণালী

তেল দিন। চালতা দিয়ে নেড়ে জল দিন। চিনি নুন দিন। গুড় দিন। নামানোর সময় ভাজা মশলা দিয়ে নামান।

আলুবোখরা চাটনি

উপকরণ

১) আলু বোখরা কুচনো ২ কাপ, ২) কালো আঙুর ১ কাপ, ৩) কিসমিস ২ বড় চামচ, ৪) তেঁতুলের ক্বাথ ১/৪ কাপ, ৫) জিরে ও শুকনো লঙ্কার গুঁড়ো সামান্য ৬) সাদা তেল, ৭) সাদা সরষে ও মেথি ফোড়ন, ৮) চিনি পরিমাণমতো, ৯) আটা ১ চামচ, ১০) নুন সামান্য।

প্রণালী

আলুবোখরা গরমজলে ভিজিয়ে চটকে নিন। এবার তেলে সরষে মেথি ফোড়ন দিন। আলু বোখরা দিয়ে নেড়ে আঙুর দিয়ে জল দিন। চিনি দিন। নুন দিন সামান্য। এবার তেঁতুলের ক্বাথ মিশিয়ে দিন। নামানোর সময় সামান্য আটা গুলে নামান।

নান খাটাই

উপকরণ

১) সাদা মাখন/ঘি ১০০ গ্রাম
২) ময়দা ১০০ গ্রাম এক কাপ
৩) ব্যাসন হাফ কাপ
৪) পাউডার সুগার হাফ কাপ
৫) বেকিং পাউডার হাফ চা চামচ
৬) খাওয়ার সোডা ১/৪ চা চামচ
৭) হাফ চা চামচ এলাচগুঁড়ো
৮) কাজুবাদাম পরিমাণমতো

প্রণালী

মাখনের সাথে ময়দা ভালো করে মেশান। এবার ব্যাসন মেশান। চিনি দিয়ে আর কিছু মিক্সিতে ঘুরিয়ে নিন। এবার বেকিং পাউডার দিন। এলাচের গুঁড়ো, কাজুবাদাম ছোট ছোট করে ভেঙে খাবার সোডা দিন। রুটির লেচির মতো নান খাটাই গড়ে নিন। এবার একটা পাত্রে (Oven Proof) পাত্রে সাদা তেল অথবা ঘি মাখিয়ে নিন। লেচিগুলো রেখে ১৭৫ ডিগ্রি ২০ মিনিট (Microoven) বেক করুন।

কুলফি

উপকরণ

১) ঘন দুধ ৫০০ গ্রাম
২) খোয়া ক্ষীর ১৫০ গ্রাম
৩) ১/৪ চা চামচ কেশর
৪) হাফ চা চামচ এলাচের গুঁড়ো
৫) পেস্তা
৬) ৫ টেবিল চামচ চিনি
৭) ৫ টেবিল চামচ কর্নফ্লাওয়ার

প্রণালী

প্রথমে দুধটা ঘন করে নিয়ে সব উপকরণ মিশিয়ে কিছুক্ষণ ফুটিয়ে নিন। ঠাণ্ডা করে কুলফি mold বা কুলফির বক্সে ভরে (deep freedge) এ ৪-৫ ঘণ্টা রাখলেই কুলফি তৈরি।

সাজানোর জন্য

সাজানোর লাল সিরাপ, রোজ সিরাপ, ফালুদা জলে ভিজিয়ে কুলফির উপর দিয়ে সার্ভ করুন।

আমের ক্ষীর

উপকরণ

১) আমের রস ২ কাপ
২) খোয়া ক্ষীর ১৫০ গ্রাম
৩) কনডেন্সড মিল্ক হাফ কাপ
৪) চিনি পরিমাণমতো
৫) আমের ছোট টুকরো হাফ কাপ
৬) চেরি, কিসমিস পরিমাণমতো
৭) সামান্য ঘি
৮) সুজি ২ চামচ

প্রণালী

প্রথমে ঘি দিয়ে সুজি দিয়ে নেড়ে আমের রস দিয়ে দিতে হবে এবং সব উপকরণ দিতে হবে আমের টুকরো ছাড়া। নামাবার সময় আমের টুকরো দিয়ে নেড়ে নাড়িয়ে ফ্রিজে রেখে ঠাণ্ডা করে পরিবেশন করতে হবে।

খোয়া কাবাব

উপকরণ

১) খোয়া ক্ষীর ২০০ গ্রাম
২) পনির ২০০ গ্রাম
৩) পাউরুটি দুধে ভিজিয়ে চটকানো ২ স্লাইস
৪) কাঁচালঙ্কা কুচি ২ চামচ
৫) ঘি
৬) ধনেপাতা কুচি ২ বড় চামচ
৭) গরমমশলা ১ চামচ
৮) ফ্রেশ ক্রিম হাফ কাপ
৯) ছাতু ২ চামচ
১০) ভাজা তিল ২ কাপ
১১) নুন পরিমাণমতো

প্রণালী

ঘি ছাড়া সব উপকরণ একসাথে মেখে তাওয়ায় সেঁকে নিন। লেচির মতো গড়ে কাবাব তৈরি করুন। ভাজা তিলের ওপর গড়িয়ে নিন।